회 색 도 시

김 흔 단편집

차 례

회색도시 1번가 5번지

회 색 도 시

회색, 너무 밝지도, 그렇다고 또 너무 어둡지도 않은 딱 적당한 빛깔. 이처럼 완벽한 빛깔이 어디에 있겠는가. 이 도시 또한 그 완벽한 빛깔처럼 고도로 발전한 기계 문명과 인간의 조화 속에서 안정을 이루며 굴러가고 있다.

여기에 더해 곧고 길게, 그러면서도 이따금씩 구부러져 자칫 단조로울 수 있는 경관에 미학을 더하는 가로와 그 위에 놓인 무채색의 자동차들. 그 옆의 공백을 빼곡하게 메워 안정감을 더해주는 마천루까지. 마지막으로 그 모든 것을 포근하게 덮어주는 깊이를 알 수 없는—어쩌면 깊이를 알 필요가 없어서 더욱 포근한 잿빛 하늘이 그 아름다움에 마지막 점을 찍어주고 있다. 화려하지만 결코 자극적이지 않은 모습으로 말이다. 때문에 이 도시를 살아가는 사람들에게는 이 도시의 주민이라는 그 단순한 사실 하나만으로도 큰 자부심을 느끼게 해준다. 아마 이곳에 사는 모든 사람은 아침이 밝기 무섭게 일어나 드높은 마천루 고층에서 커튼을 열어젖히며 자신이 살고 있는 아름다운 도시의 광경을 내려다보는 것으로 하루를 시작할 것이다. 그러면서도 스스로 감격에 젖어, 작지만 강렬한 목소리로 영탄하리라.

"오늘도 실로 조화롭고 아름다운 도시로군!"

하면서 말이다.

하지만 그 무엇보다 이 회색 도시의 가장 큰 자랑거리라면 전세계 그 어떤 도시의 것들보다 큰 규모를 자랑하는 로봇 생산 회사인 패트리아 오토매틱. 그 본사와 제 1공장이 자리하고 있다는 사실일 것이다. 그래, 이 도시의 중심에 있는 그것. 이 도시 어디에 있든 심지어 도시를 벗어나더라도 한눈에 알아볼 수 있는 바로 그 건물이다. 전세계로 납품되는 로봇 또는 그 포장 박스나 설명서에 적힌

'패트리아 오토매틱에서 생산됨'

이라는 문구, 그리고 그 바로 아래 적힌 회색 도시의 주소는 전세계 사람들로 하여금 회색 도시에 주목하게 만드는 힘이 있으니까. 자, 도시에 대한 자랑은 이쯤 해두자. 이곳에 사는 사람들이 이 말을 듣는다면 아직 자랑할 게 많이 남았다며 아쉬워하겠지만 슬슬 패트리아 오토매틱의 로봇에 대해서도 이야기를 나눠봐야 할 테니 말이다.

패트리아 오토매틱에서 생산하는 로봇은 자율적으로 사고하고 판단하고 이해할 수 있는 인공지능 로봇으로 오랜 기간의 제작 과정과 후가공 작업을 거쳐 인간을 위해 세상에 기여하게 된다. 한 기의 로봇을 생산해내는 데만 해도 대략 10개월 정도의 기간이 걸리고 거기에 더해 최소 12년에 걸친 후가공 공정을 거쳐야만 한다는 사실은 실로 놀라운 일이 아닐 수 없다.

후가공 공정에 대해 조금 더 자세히 살펴보자면 생산된 로봇에 기초 OS를 입력하고 자율적인 데이터 학습을 위해 필요한 기본적인 소프트웨어를 설치, 안정화시키는 데만 3년이라는 시간이 소요된다. 이후에는 인간과 공존하기 위한 기초적인 데이터를 학습하는데, 이때 다시 3년이라는 시간을 필요로 한다. 이 과정에서 추가로 소프트웨어를 설치하거나 인간을 이롭게 하는 데이터와 해롭게 하는 데이터를 분별, 이로운 데이터만을 선택적으로 학습하는 일종의 습관을 주입하기도 한다.

이 6년이라는 시간 동안 로봇에게는 소프트웨어적인 것뿐만 아니라 하드웨어적인 부분에서도 큰 변화를 거치게 된다. 학습된 데이터가 많아지는 만큼 그 데이터를 저장하기 위한 디스크가 추가로 필요해질 것이고, 여러 가지의 소프트웨어를 동시에 실행하기 위한 안정화 장치 등 추가로 부착해야 할 부품이 많은 탓이다. 특히 이 과정에서는 한 가지 이유로 인해 로봇 외부에 추가 부품을 덕지덕지 부착하는 간단하고도 효율적인 방법을 선택할 수가 없다. 의외로 이런 실용적인 물건에서도 미관을 따지는 사람들이 많기 때문이다. 따라서 그 모든 부품들을 로봇 내부에 장착해야 하는 관계로, 단순한 장착 공정뿐만 아니라 로봇의 신체 크기를 늘려 부품이 장착될 공간을 확보하기 위한 추가적인 공정이 필요하다. 어쩌면 이 과정이 6년이나 걸리는 이유가 여기에 있을 수도 있겠다.

여기까지의 공정이 이상 없이 완료되었다면 마지막으로 기초적인 실무에 투입되기 위한 데이터 학습과 그에 맞는 OS, 소프트웨어를 갖추기 위한 마지막 3년이 필요하다. 이렇게 되면 로봇은 비로소 사회로 나가 단순 노동이나 간단한 사무 업무 등의 기초적인 직무에 투입될 수 있다.

물론 이는 어디까지나 기초적인 후가공 공정이다. 전문 업무에 투입될 목적으로 생산된 로봇, 혹은 아주 드문 경우이지만 로봇 스스로가 전문 업무를 원하는 경우에는 적어도 2년, 많게는 9년 이상의 심화 가공 공정을 거쳐야 한다. 공정 내용은 기초 후가공 공정과 큰 차이는 없다. 어차피 데이터를 학습시키고, 소프트웨어나 OS를 업데이트하고 안정화하는 것 정도일 테니까.

이 모든 과정이 그렇게나 긴 시간을 필요로 할 일인가 싶을 것이다. 실제로 이 말도 안 되는 생산기간에 불만을 토로하거나 믿지 못하겠다고 말하는 사람들도 꽤 있으니까. 하지만 그것은 어디까지나 분명한 사실이다.

마침 커튼을 젖히고 창가에 붙어 도시를 내려다보는 한 아이가 있다. 마천루 드높은 곳, 그것도 웬만큼 높은 곳보다 훨씬 더 높은 곳에서.

"기가 막히도록 아름다운 조화야."

유치원생의 입에서 나왔다기엔 너무 조숙한 게 아닌가 싶은 표현을 나지막이 뱉어내며 회색의 도시민답게 충실히 자신만의 아침을 열고 있었다.

"꼭 맞는 말이다, 라팔."

어느새 다가온 아이의 부모도 아이와 함께 도시를 내려다보며 말했다. 그러고는 자신의 아이가 귀엽다는 듯 머리를 쓰다듬은 뒤 커튼을 닫고 집을 나섰다. 관례에 따라 아침을 열었으니 이제는 아침을 시작해야 할 때인 것이다.

엘리베이터를 타고 1층 로비를 빠져나오자 수행원이 중후

하면서도 검은 세단의 문을 열어주며 가족을 맞았다. 아버지는 수행원에게 수고한다는 말과 함께 뒷좌석에 먼저 탑승했다. 그런 다음 아이와 어머니가 차례로 차에 올랐다. 아버지와 어머니가 차에 오르는 순서는 날마다 달라지지만 아이는 항상 두 번째 순서, 즉 가운데 자리에 탑승했다.

가족들이 모두 차에 오르면 수행원은 가볍게 뒷좌석의 문을 닫은 뒤 자신의 자리로 가서 차를 운전한다. 차는 그 중후한 모습에 어울리지 않는 조용한 소리로 회색의 아스팔트가 매끄럽게 깔린 도로를 따라 달린다. 목적지는 패트리아 오토매틱, 그곳이 그들의 공적 생활공간이기 때문이다.

차는 약 30분 정도를 달려 회색 도시의 중심부에 들어섰다. 무수한 공장들과 거기서 뿜어져 나오는 잿빛 구름. 이 도시를 아름다운 빛깔로 물들 수 있게 해주는 존재들이다. 목적지는 여기서도 20분은 더 달려야 한다. 같은 도시권 내의 출근 시간이라고 하기에는 조금 긴 시간일 수도 있겠지만 어떤가. 이 모든 광경들이 그들이 사랑하는 풍경들이고, 설령 아직까지는 그렇지 않다고 하더라도 앞으로는 사랑할 수밖에 없을 풍경들이니까.

슬슬 패트리아 오토매틱의 입구가 보인다. 입구를 통과하면 가장 먼저 로봇 생산 공정의 생산 라인을 볼 수 있다.

지금 차가 진행하고 있는 방향을 기준으로 오른편에는 새롭게 만들어질 로봇들이 이미 오래전에 완성되어 실무에 투입된 로봇들에 의해 조립되고 있었다. 언제, 어느 시간에 가도 늘 같은 모습이다. 아이는 그 모습을 볼 때면 항상 숨이 턱 막히는 것 같은 기분을 느꼈다. 아직은 다소 부족한 어휘력으로 인해 그걸 '갑갑하다'고 표현하지는 못하는 듯했지만 말이다.

'쉬지도 못하고 항상 저렇게 서서 일만 해야 하다니, 그것도 항상 똑같은 일을.'

하고 아이는 생각한다. 그러면서도 본인은 저렇게 되지 말아야지 하는 짤막한 생각을 덧붙인다.

왼편으로는 생산, 후가공, 실용 단계에서 불량으로 판정된 로봇을 폐기하는 라인이 한창 가동 중이다. 컨베이어 벨트 위에서 전원을 상실한 로봇들이 몸을 축 늘어뜨리고 고개를 숙인 채 프레스와 분쇄기를 향해 이동하면서 차례로 그 육체가 폐기되기를 기다리고 있다.

아이의 시선이 흔들린다. 그러면서도 그 라인에서 눈을 떼지는 못하고 있다. 힘껏 말아쥔 손이 조금 촉촉해지는 것 같기도 했다.

"라팔, 로봇들이 폐기되는 게 아직도 무섭니?"

어머니가 아이의 오른편에서 미세하게 떨리고 있는 그의 손을 잡으며 물었다.

"네."

아이는 흔들리는 목소리로 말했다.

"걱정할 것 없단다. 너는 충분히 훌륭한 아이란다."

어머니는 부드러운 목소리로 다독였다.

"그래, 걱정할 것 없다. 너는 훌륭한 아이고 우리 부부의 아들이니까."

아버지가 아이의 왼편에서 거들었다.

자동차가 공장에 어느 정도 진입하자 부부의 차를 알아본 양쪽 라인의 로봇들이 일제히 차를 향해 허리를 숙였다. 잘 훈련된 의장대, 혹은 사열한 군인들이 새로 취임한 장군의 의전차량을 향해 경례를 올리는 것처럼 장엄한 모습이었다. 아이는 차창 밖에서 자신이 타고 있는 차를 향해 고개를 숙이는 수백 기의 로봇을 보았고, 그런 다음 고개를 살짝 들어 양쪽에서 늠름하게 곁을 지켜주는 부모의 얼굴을 올려다보았다. 깊은 감동과 존경, 그 표현에 정확히 들어맞는 감정이 혈관을 타고 몸 구석구석을 훑었다.

'우리 엄마, 아빠가 내 엄마, 아빠라서 다행이야, 나도 나중에 커서 꼭 저런 멋진 어른이 돼야지!'

라고 생각했으리라.

드디어 그들이 탄 차는 이 도시의 정중앙. 패트리아 오토 매틱의 본사 건물 앞에 도착했다. 수행원은 차가 완전히 멈추자 빠르게 내려 뒷좌석 문을 열었다. 차에 탔던 세 명이 모두 내리자 가볍게 문을 닫고는 그들의 뒷모습을 향해 허리를 숙여 예를 표했다. 그들은 로비로 들어가 1층에 위치한 유치원에 아이를 데려다주고 부모들은 임원들의 집무실이 있는 상층으로 올라갔다. 실로 훌륭한, 아니 위대한 가족이다. 분명 저 라팔이라는 아이도 그의 부모처럼 위대한 인물이 될 것이다. 그가 등원한 패트리아 오토매틱의 사립 유치원을 졸업한 뒤, 당연하게도 같은 재단의 초중고등학교를 졸업할 것이다. 성적도 분명 훌륭하리라. 소위 말해 누구나 부러워할 만한 엘리트 코스. 대학에 진학하는 것도 별다른 고민 없이 우습게 해낼 것이다. 그것도 라팔과 같은 소수의 엘리트들에게만 허락되는 최고의 대학으로 말이다. 나중에는 분명 그의 부모와 마찬가지로 세계 최고의 기업인 패트리아 오토매틱에 입사하여 인류의 미래를 선도하겠지. 보란 듯이 쟁취할 것이다. 부모의 꿈이자 자신의 꿈이라며 그려온 그 삶을.

십 년이 더 지난 시점에서도 이변은 없었다. 어쩌면 이변이 일어날지도 모른다는 희박한 가능성을 마음에 품고 있었다는 것만으로도 경솔한 행동이었을지 모를 일이다. 위대한 부모, 그리고 훌륭한 환경 속에서 자라난 그는 정확히 우리가 예상한 정도(正道)를 밟으며 곧게 성장했다. 지금 저기 보이는 저 젊은 신임 연구원, 유수의 대학에서 석박의 학위를 취득하고 이번에 패트리아 오토매틱에 새로 부임한 저 청년이 바로 우리가 알던 꼬맹이 라팔이다.

그 훤칠한 신임 연구원은 더 이상 우측의 라인에서 일하는 획일적인 로봇들도, 좌측 라인에서 폐기를 기다리는 로봇들도 두려워하지 않았다. 그에게 있어 그런 것들은 이제 늘상 같은 곳에서 보이는 풍경이나 배경 정도에 지나지 않으니까. 그의 위치가 아무리 내려다보려 애써도 더는 아래쪽이 보이지 않을 정도로 높아진 덕분이다.

새로 부임한 그는 대략 2~3개월 정도의 인턴 과정을 거친 뒤 정식 연구원이 되어 본격적으로 업무를 수행해나갔다. 물론 로봇 수리 보조나 생산, 제작 관리 보조와 같이 그의 스펙에 비하자면 조금은 볼품없어 보일 수 있는 그런 기본적인 업무들, 조금 더 정확히 말해보자면 치프를 따라다니며 허드렛일을 수행하는 정도다. 여느 초임들이 그렇듯 아직까지는 그럴싸한 업무에 직접적으로 관여할 수 있는 단계가 아니었던 것이다. 거기에 대한 불만을 가지지는 않았다. 그는 사람을 학력이나 스펙 따위로 판단하는 좀팽이는 아니었으니까. 선임은 선임이고 치프는 치프다. 그는 단지 자신에게 주어진 일에 성실할 뿐이었다. 현재에 충실하기 위해. 그렇다면 자연스레 빛은 따라오는 부분이니까. 그게 그의 부모에게서 받은 가장 큰 가르침이었다.

당연한 말이겠지만 그런 그리고 해서 모든 일들이 마냥 쉽게 풀리지만은 않았다. 처리해야 할 업무는 생각보다 많았고 꽤 어려웠다. 거기에 더해 치프가 던져준 치프의 일까지 처리하느라 정신이 없었다. 치명적이라고 할 정도의 것까지는 없었으나 자질구레한 실수가 너무 많았다. 그럴 때면 우수한 성적으로 유수의 대학교에서 학위를 딴 그에게는

"대학도 잘 나온 놈이—"

와 같은 모욕이 항상 따라붙었다. 더 경험이 많은 입장에서 그의 실수를 조금 더 너그럽게 봐줄 수도 있었을 텐데도 원래 교육과 실무는 전혀 다른 법, 우리 또한 우리의 시간을 살아오면서 그 사실을 몸소 느껴봤지 않았던가.

한 가지 다행스러운 사실은 라팔이 그런 모욕 속에서도 나름대로 잘 버텨내고 있다는 점이다. 그 시절 그의 어머니와

아버지가 그랬을 것처럼 말이다. 그리고 굳이 하나를 더 들자면 좋으나 싫으나 시간은 흘러간다는 사실이다.

시간은 언제나 맡은 바 역할을 착실히 수행했다는 증거로 존재의 곳곳에 흔적을 남긴다. 그의 얼굴에서도 그런 시간의 흔적이 남을 때쯤, 비로소 그의 직무 영역에서 '보조'라는 수식어를 완전히 없앨 수 있었다. 누군가의 뒤치다꺼리 따위, 심지어 일부 기초적인 업무까지도 아랫사람들에게 떠넘기고는 누구보다 가장 앞에서 걸으며 가장 주목받는 일들을 주도해 나갈 수 있는 사람이 되었다는 뜻이다.

수많은 연구원들을 이끌고 공장과 사무실 여기저기를 다니며

"이 라인은 관리 상태가 아주 좋군."

이라며 상투적인 말로 직원들을 격려하거나 이상하게 눈썹을 꿈틀거리면서

"여기는 좀 더 분발할 필요가 있겠어."

하며 괜한 핀잔을 주고 다닐 수도 있다. 어쩌면 정말 유능한 연구원에게만 허락된다는 후가공 공정을 주도하면서

"피곤하군. 오늘은 여기까지만 하지."

하며 허세를 부려볼 수도 있겠다. 그가 어떤 사람인지 잘 알고 있는 아랫사람들은 그의 말에 그럴 만한 이유가 있겠

거니 하며

"예."

하고 짧게 대답할 것이다.

혹자는 지금의 그를 이렇게 평가한다. 어쩌면 지금, 그는 그와 같은 시절—그러니까 아마도 그가 코흘리개였던 시절의 부모보다 훨씬 더 높은 위치에 있을지도 모른다고 말이다.

라팔은 결코 부나 명예 따위의 일차원적인 욕망을 좇던 인물이 아니다. 그는 그저 그가 가장 존경하고 동경하는 인물인 부모님과 같은 길을 걷고 싶어 했던 것뿐이다. 그래서 악착같이 부모님의 길을 따라 걸었다. 같은 대학의 졸업장을, 같은 학위를, 그리고 같은 사원증을 손에 쥐었을 때는 정말이지 자신이 유의미한 걸음을 내딛고 있다는 마음으로 벅찼었다. '꿈'이라는 물리적 공간이 실재한다면 마치 그 중심에 서 있는 것 같은 기분이라고 표현하는 것만큼 꼭 맞는 표현은 없을 것이다. 그러다 어느 순간부터는 그냥 일 자체가 즐거워졌다. 부모 때문이 아닌 오로지 자신만을 위한 지극한 즐거움. 덕분인지 더 이상 부모가 그의 곁을 지킬 수 없을 때도 잘 털고 일어날 수 있었다. 슬프지 않았던 것은 아니었지만 말이다. 한때는 집보다 집무실에 있는 날이 많을 정도였으니 그의 워커홀릭적인 성향을 더 말해 무엇하겠는가.

상황이 그렇다 보니 부나 명예 같은 얄팍한 것들은 자연히 그를 따라 왔다. 충분히 쓸 만큼 썼음에도 돈은 여전히 남아돌았으며, '로봇공학자 라팔'이라는 이름을 모르는 이는 세상에 없을 정도였다. 한번은 패트리아 오토매틱의 대표가

"이제는 우리 회사보다 당신의 이름이 더 유명한 것 같소."

하는 우스개를 던질 정도였다. 그에 라팔은

"과찬이십니다."

하며 허허 웃기만 할 뿐이었다.

사람으로 태어나 이룰 수 있는 것들은 웬만큼 다 이루어 낸 셈이다. 그래, 이미 다 이루어 낸…….

'차라리 이루어 낸 게 하나도 없었으면 좋으련만.'

문득 그는 생각한다. 아무런 인과 없이 떠오른 생각은 아니다. 모든 것을 거의 다 이루었다고 생각될 때―우리가 쉽게 기준 잡을 만한 시기로 따지자면 라팔이라는 이름이 로봇공학의 대명사처럼 여겨지기 시작할 무렵부터 그의 머릿속을 종종 유영하는 생각이었다. 그는 몸을 뒤로 뉘여 의자 깊은 곳에 파묻었다. 잠시 눈을 감고 숨을 비워낸 뒤 시

계를 보았다. 작은 스탠드 불 하나에만 의존하고 있는 그의 집무실이었기에 시각을 명확히 확인할 수는 없었지만 이미 깊은 새벽을 지나고 있는 시점이라는 것쯤은 분명하게 알 수 있었다.

"젠장, 또 이러는군. 나도 이제 나이가 든 건가."

이번에는 몸을 앞으로 기울여 책상에 팔을 괴고는 양손바닥에 얼굴을 묻었다. 고개를 숙이며 천천히 쓸어올렸다. 그러고는 체념한 듯 의자에서 일어나 옷걸이에 걸린 백색 가운의 오른쪽 주머니에 손을 넣었다. 달그락거리는 소리와 함께 작은 플라스틱 통 하나를 꺼냈다. 뚜껑을 열어 캡슐 두 개를 손바닥에 털었다. 그리고 그걸 물끄러미 바라보며 잠시 침음했다.

"걷잡을 수 없을 정도로 그런 마음이 강해지면 두 알씩 챙겨 드세요. 꼭이요."

고작 이런 걸로 오랫동안이나 지속되어 온 무상감을 떨칠 수 있을까 하는 회의감 속에서 주치의의 당부가 생각난 탓이다. 하지만 그것도 잠시, 이내 캡슐을 약통에 도로 넣었다. 역시 이런 건 아무런 도움이 되지 않는 것 같았기 때문이다. 늘 그랬던 것처럼

'새로운 정신세계를 만들어낸다는 사람이 정작 자기 정신

하나 똑바로 붙들지 못하다니. 남이 보면 웃을 일이야.'

 하는 자조도 잊지 않았다. 차라리 오랜만에 집에 들어가 볼까 싶기도 했지만 역시 그러지 않기로 했다. 넓기만 한 깜깜한 집 안에 혼자 누워 있는 것보다는 집무실에서 일을 보는 게 공허감이 덜했기 때문이다. 옷걸이에 걸린 백색 가운을 집어 들어 몸에 걸치고는 집무실을 나갔다. 그동안 자신이 걸어왔던 길, 그리고 이루어 낸 것들을 눈으로 밟다 보면 나아질까 싶어서였다.

 임원층의 복도는 어두웠다. 이 시각까지 남아 있을 임원은 없을 테니 비상구를 알리는 초록 불빛 외 다른 불빛이 들어올 일은 없었다. 복도 창가에 붙어 아래를 내려다보니 그제서야 가동 중인 라인에서 나오는 불빛들이 멀찍이 보인다. 복도를 걸으면서도 그 라인들, 그중에서도 특히 생산 라인에서 눈을 떼지 못한다.

 엘리베이터 버튼을 눌렀다. 문이 열리자 승강기에 올라 1층 버튼을 눌렀다.

 '내려갑니다'

 영혼이 결여된 건조한 목소리 이후 그의 고도가 점점 낮아졌다. 생산 라인은 그의 왼편에 있었다. 라인은 여전히 왕성하게 돌아가고 있다. 컨베이어 벨트도, 공장의 기계들도, 그리고 로봇 생산 업무를 수행하고 있는 로봇들도.

인기척을 느낀 라인의 로봇들이 일제히 라팔을 쳐다보았다. 빠른 속도로 그의 얼굴을 인식했고 이내 허리를 숙여 예를 갖췄다. 라팔은 신경 쓰지 말고 계속 일들 하라는 의미로 짧게 오른팔을 들어 올렸다가 내렸다. 그제야 로봇들은 다시 허리를 세워 하던 일들을 이어갔다.

'여전히 여전하군.'

라팔은 생각했다. 어린 시절 부모와 함께 차를 타고 가면서 봤던 오른편의 로봇들을 떠올렸다. 조금은 언짢은 기분에 라인에서 한창 일을 하고 있는 한 로봇에게 다가갔다.

"안녕하십니까, 라팔님."

로봇은 잠시 일을 멈추고 라팔에게 예를 갖췄다.

"지금 뭘 하는 거지?"

라팔은 마음에 들지 않는다는 듯 물었다.

"보시다시피 일을 하고 있습니다."

로봇은 차분히 대답했다.

"누가 그걸 몰라서 묻나? 지금 이 시간에 왜 그러고 있느냐는 말이야."

라팔은 조금 더 격양된 목소리로 로봇을 쏘아붙였다.

"그야……그게 제가 할 일이니까요."

로봇은 당황한 목소리로 대답했다. 물론 그 당황함이 진정 그가 느낀 감정인지는 여전히 논란의 여지가 있다. 아무리 인공지능 기술이 발전했다지만 여전히 그들의 감정은 그저 학습된 데이터를 토대로 인간의 것을 모방한 것뿐이라는 견해가 적지 않았기 때문이다.

"이상하군, 힘들지도 않나? 자네에게는 감정이란 것도 없는 건가?"

라팔이 어이가 없다는 듯 되물었다.

"힘들 건 없습니다. 물론 후가공 공정을 거치면서 감정을 입력하긴 했으나 그건 제게 있어 그다지 중요한 요소는 아닙니다. 저는 라팔님과는 다른 존재, 심화 공정도 거치지 않은 일개 말단 로봇에 불과하니까요."

로봇은 잠시 말을 멈춘 뒤 다시 목소리를 냈다. 그가 사람이었다면 숨을 고르기 위한 일이라고 생각했겠지만, 그는 로봇이기에 그럴 필요가 없었다. 이 또한 단순히 인간의 습관을 모방한 결과이거나 라팔을 배려해서 숨을 고를 시간을 준 것일 뿐이다.

"그런 걸 물으시다니 제가 보기엔 오히려 라팔님이 이상하신 것 같습니다. 어디 안 좋으십니까?"

잠시 정적이 흘렀다.

"자네 이름이 뭐지?"

"이름은 없고 일련번호는 있습니다. 'B22987026-A', 인간으로 따지면 그게 제 이름일 것입니다."

"그렇군. 일 보게나."

라팔은 로봇에게 손인사를 건네며 뒤로 돌아 집무실로 돌아왔다.

'B22987026-A'

보통 사람들에게는 한 번 듣고 기억하기에는 조금 어려운 이름일지 모르겠지만 들은 건 좀처럼 잊어버리지 않는 라팔은 그의 이름을 작게 되뇌었다. 날이 밝으면 그 녀석을 폐기해야겠다고 생각했다. 실제로 라팔이 그 명령을 내린다면 그건 그가 이 회사에 들어온 이래로 처음 부리는 투정일 것이다. 그를 폐기하는 데 특별한 이유는 없으니까. 그저 마음에 들지 않았던 거겠지. 아마 어린 시절 봤던 그 로봇들에 대한 기억이 자꾸만 떠오르기 때문이리라.

집무실에 돌아온 라팔은 의자 깊숙한 곳까지 몸을 묻어 넣었다. 그리고는 생각했다. 자신의 꿈이 뭔지, 자신이 진정 이루고 싶었던 게 뭔지를. 한 가지 확실한 건 지금과 같은 삶은 아니었다는 것이다. 아, 또 다른 한 가지가 떠올랐다. 적어도 좌우측에서 보였던 그들과 같은 삶은 살지 않겠다는

다짐.

'B22987026-A'

그러나 지금 그의 삶이 그가 그토록 두려워했던 그 삶의 모습과 다를 게 무엇이란 말인가. 날이 밝으면 다시 업무가 시작될 것이다. 어제와 다를 것 없이. 아니, 어쩌면 지난달, 심지어 작년과도 다를 것 없는 하루가 시작될 것이다. 업무의 내용마저도 동일한 것 같았다. 그를 사로잡고 있던 공허나 무상감 같은 것들이 이제는 조금씩 두려움으로 바뀌기 시작했다. 똑같은 삶의 반복,

'내가 저들과 다른 게 무엇이란 말인가.'

꿈이라는 명확한 무언가가 있었다. 사실 그것도 잘 모르겠다. 그냥 그런 게 있었던 것 같다는 느낌이 들 뿐이다. 아무튼 그는 그걸 위해 누구보다 열심히 달려왔었다. 그렇게 모든 것을 이루었다고 생각했는데 정작 실제로 이루었다고 할 만한 것은 무엇이란 말인가. 도대체 인간으로서 숨 쉬는 이유가, 그 차별성이 무엇이란 말인가.

거북한 공허와 매스꺼움은 이미 라팔의 몸을 한껏 끌어안은 지 오래다. 속이 뒤집어질 것 같은 기분을 느끼는 그는 책상 옆으로 나 있는 문을 열고 변기통에 머리를 처박는다. 몇 번이고 게워내고자 토악질을 해보지만 나오는 것은 없

다. 할 수 있는 건 스스로를 끌어안고 보듬는 것밖에 없는 듯했다. 자신의 팔을 휘감아 몸을 꽉 움켜쥐었다. 차갑고 딱딱하기만 하다. 몸속에는 뜨겁고 붉은 선혈이 아닌 끈적하고 불쾌한 다른 무언가가 흐르는 것만 같았다. 라팔은 시선을 옮겼다. 자신을 잃지 않기 위해. 자신을 단적으로 드러내줄 수 있는 유일한 무언가를 향해. 백색 가운 왼편 가슴부에 달린 금속 명찰로 말이다.

「Ra-8」

회색도시 2번가 29번지

자 유 의   날 개

이곳은 하늘과 맞닿은 곳, 지금 여기에서 난 자유를 위해 힘껏 도약하리라.

　새로움, 전혀 새롭지 않은 흔한 단어일 뿐이지만 고작 세 글자에 불과한 그 진부한 단어는 여전히 나를 흔들어놓기 충분했다. 새로운 학교, 새로운 교실, 앞으로 만들어질 새로운 인연, 거기에 안정감을 더해주는 소꿉친구까지, 어느 하나 설레지 않을 것이 없었다. 물론 모든 게 다 만족스럽지는 못했다. 적어도 교복만큼은 굉장히 절망적이었다. 감색 바지와 자켓, 하늘색 와이셔츠에 땡땡이 무늬의 붉은색 넥타이, 포제 명찰. 그야말로 시대를 역행하는 디자인이었다. 심지어 남자애들은 키가 빨리 커서 한 치수 크게 맞춰야 졸업할 때까지 입을 수 있다고 엄마가 성화를 부리는 바람에 그렇지 않아도 나이 들어 보이는 칙칙한 교복에 핏까지 엉망이 되어버린 것이다. 나도 이제 고등학생인데 키가 커봐야 얼마나 더 큰다고 그러는지……. 그래도 기뻐하는 부모님의 모습을 보니 마냥 나쁘지만은 않은 것 같았다. 더욱이 고집을 부려 그동안 갖고 싶었던 새하얀 아디다스 운동화도 손에 넣었으니 쌤쌤인 셈 치면 그만이다.

이른 아침, 두 대의 자전거가 집 근처 강변 둔치에 모였다. 초중학교를 같이 나온 소꿉친구와 함께 그 설렘을 만끽하기 위해. 그렇게 우리는 대략 15분 정도 싱그러운 봄바람을 흩뜨리며 새로운 교문을 마주했다. 여느 학교가 그렇듯 새로운 교문에서도 줄무늬 가라티에 배가 불룩 나온 험상궂은 선생님 한 분이 손에는 당구 큐대를 들고 뒷짐을 쥔 채 교문을 통과하는 학생들을 살폈다.

"어이, 거기 자전거 두 마리."

그때 배불뚝이 선생님이 우리 쪽을 보고는 소리쳤다. 우리는 당황스러움을 감추지 못하고 서로의 얼굴을 번갈아 보며 주변을 두리번거렸다.

"그래, 거기 너희들. 주변에 자전거가 너희 말고 더 있어?"

배불뚝이 선생님은 우리를 향해 검지손가락을 까딱거리며

말했다. 무슨 일인지는 몰라도 재수가 없었음이 분명하다. 입학 첫날부터 이런 일이 생기다니……우리는 우물쭈물대며 선생님 앞으로 페달을 밟았다. 선생님은 언짢은 눈으로 우리를 한 번씩 훑어보시더니

"신입생이냐?"

라고 물어보았다. 이에 그렇다고 대답하자 한숨을 뱉으시고는

"앞으로 자전거를 타고 교문 통과할 때는 내려서 끌고 들어가라. 위험하다."

라고 말씀하시며 손에 든 큐대를 휙휙 내저으셨다. 우리는 자전거에서 내려 꾸벅 인사를 한 뒤 교문 안으로 들어가 자전거 보관대에 자전거를 묶었다―이때 우리만의 자전거를 묶는 방식이 있었는데 자전거 바퀴를 보관대에 끼우고 자물쇠를 걸 때, 서로의 자물쇠에도 함께 자물쇠를 거는 것이었다. 마치 사슬처럼 말이다.

새로운 교실

중학교 때와 달라진 것이 전혀 없는 그런 교실이었지만 그곳을 가득 채운 공기 속에는 분명 그때와는 다른 무언가가 섞여 있는 것만 같았다. 그 진부함과 이질감 사이의 어느

교집합 속에서 우리는 항상 그래왔던 것처럼 수많은 빈자리 중에서 우리가 앉을 두 자리를 탐색했다. 너무 앞도, 너무 뒤도 아닌 그 어딘가, 대략 네 번째 줄 정도 좌우의 위치도 물론 중요했다. 중앙과 창가는 피하되, 너무 벽 쪽에 붙어서도 안 된다. 정말 눈에 띄지 않는 적당한 자리, 그 두 자리에 우리는 나란히 가방을 걸었다. 이후 우리는 각자의 관례를 수행했다. 옆자리 친구의 관례는 조례가 시작되기 전까지 책상에 엎드려 눈을 붙이는 일이었고 나의 관례는 등교 전 편의점에서 사 온 바나나우유와 샌드위치로 아침 끼니를 해결하는 것이었다. 이후의 일과는 똑같다. 수업시간이면 수업을 듣고 쉬는 시간이면 매점을 가거나 수다를 떨며 새로운 인연을 쌓아갔다.

그러던 어느 날이었다. 비가 와 땅이 젖었던 날, 등굣길 운동장에서 물웅덩이를 밟아 애지중지 신어 새하얀 상태를 유지하던 신발에 얼룩이 졌던 그런 날. 유독 바쁜 아침이었다. 비가 오는 날이면 자전거를 타고 나가지 못하기에 평소보다 일찍 집을 나서야 했던 탓이다. 전날 밤에라도 비가 온다는 사실을 알았다면 미리 일어났을 텐데 아침이 되자 갑작스럽게 내리는 비였던 지라 부랴부랴 준비해 등교할 수밖에 없었다. 샤워는커녕 화장실도 가지 못한 채로 말이다.

그래도 편의점은 들를 수 있어 다행이었다. 화장실쯤이야 학교에서 가면 되는 거니까.

학교에 도착하자마자 물티슈로 신발의 얼룩을 닦아내고는 여느 때와 같이 아침 끼니를 때울 준비를 해둔 뒤 곧장 화장실로 향했다. 개운하게 관례를 행할 수 있겠다며 교실로 돌아온 순간, 김이 팍 식어버렸다. 샌드위치와 바나나우유가 사라져 있었기 때문이다. 정확하게 그 내용물만, 먹고 남은 쓰레기는 책상에 아무렇게나 너부러져 있었다. 그 탓에 샌드위치 소스와 바나나우유 잔여물이 새어 나와 책상은 난장이었다. 살짝 기분이 나빴지만 그 녀석이 배가 고파 그랬겠거니 하고는 넘어갔다. 뭐, 그럴 수 있다. 그 녀석도 비가 오는 바람에 자전거를 타지 못해 일찍 집을 나서야 했을 것이며, 때문에 아침 식사를 걸러야 했었을 테니까. 그리고 배가 고파 잠을 잘 수 없어 피치 못한 선택을 했던 것이리라. 무엇보다도 수년을 함께 해온 우리 사이에 이 정도쯤이야…….

문제는 이런 일이 한두 번만으로는 끝나지 않았다는 데 있다. 내가 자리를 비울 때마다 이런 일이 계속해서 일어났다. 심지어 음식을 꺼내두지 않고 자리를 비웠을 때마저도 직접 내 가방을 뒤져 음식을 먹고 갔으며 심지어는 이번에는 샌드위치를 다 먹지도 않고 책상 위에 그대로 버려두고 가버렸다. 순간 머리가 핑 도는 느낌이 들었다. 옆자리에서 자고 있던 친구를 깨웠다. 그저 뭐라도 해야 할 것만 같았고 혹시라도 그 녀석이 뭔가를 봤을 수도 있으니까.

"야, 야, 좀 일어나봐."

친구는 기지개를 켜며 부스스 일어났다.

"혹시 내 샌드위치랑 우유 네가 먹었던 거야?"

"무슨 소리야. 난 자리에 앉으면 바로 잠드는 거 알잖아."

"그렇긴 한데……."

사실 알고는 있었다. 그럴 친구가 아니라는 것쯤은 말이다. 그러나 그가 아니라면 도대체 누가 생판 모르는 남의 음식을 스스럼없이 먹어치운단 말인가.

"근데 네 책상 왜 이러냐?"

눈도 제대로 못 뜬 친구가 내 책상을 보더니 당황스럽다는 듯 말했다.

"모르겠다. 요즘 계속 누가 내 아침밥을 뺏어 먹더라."

"……."

친구는 별다른 반응 없이 어이가 없다는 듯 먹다 버려진 샌드위치 파편을 보며 짧게 한숨만 내쉴 뿐이었다. 어처구니없는 상황에 너무 기가 막힌 나머지 아무 말도 나오지 않은 것이리라. 잠시 뒤 그는 아무런 말없이 가방에서 휴지를 꺼내 책상을 닦아주었다.

그 사건 이후로는 자연스레 샌드위치와 우유를 챙겨가지 않게 되었다. 짤막한 한숨이 새어 나왔다. 그런 일을 당했다는 게 괘씸한 건 둘째 치고 등굣길에 편의점에 들러 어떤 샌드위치를 먹을지 고민하던 나의 작은 행복을 빼앗긴 기분이 들어 언짢았다. 대신 1교시 이후 쉬는 시간에 매점에서 빵과 우유를 사 먹는 것으로 아침을 대체했다. 매점 빵도 은근히 종류가 많았고 맛도 괜찮았으며 친구와 함께 매점에서 이야기를 나누며 먹는 즐거움이 그나마 위안이 되어주었다.

이러한 평범한 일상에 나도 모르는 사이 무료함을 느끼고 있음을 하늘도 알았던 탓일까, 등교를 했더니 또 다른 새로움이 나를 맞이하고 있었다. 교실에 도착하자 네다섯 명 정도의 무리가 내 자리 주변에서 떠들고 있던 것이다.

"저기……."

조심스럽게 말을 건네자 무리의 아이들이 일제히 나를 쳐다보았다.

"거기 내 자리인데."

내가 말을 하자 무리의 아이들은 서로의 얼굴을 번갈아 보며 낄낄거렸다. 그중에서 다리를 꼬고는 의자에 엉덩이를 앉힌 듯 걸친 듯 앉아 몸을 완전히 젖혀둔 한 아이가 말했다.

"아, 여기가 네 자리야?"

그의 얼굴보다 풀어헤친 와이셔츠 사이로 보이는 티셔츠의 알 수 없는 그림이 먼저 눈에 들어왔다. 이후 천천히 그의 얼굴로 시선을 옮겼다. 언뜻 보면 검은 듯 했으나 교실 형광등의 빛을 받아 노르스름한 색깔이 드러나는 머리칼과 왠지 모르게 꾀죄죄한 얼굴, 교실 끝 창가 쪽에 앉아있던 아이였다.

"미안해, 비켜줄게."

의외로 그는 별다른 말없이 순순히 자리에서 일어났다. 괜히 겁을 먹고 있던 나는 다행이라고 생각하며 속으로 안도의 날숨을 뱉었다.

"그나저나 요즘은 왜 먹을 거 안 가져오냐? 배고파서 아침이나 먹을까하고 기다렸는데."

그의 목소리에서 비아냥거리는 듯한 웃음이 계속해서 실실 새어 나왔다. 가슴과 머리 쪽에서 무언가 알 수 없는 느낌이 느껴졌다. 너무 빠르게 안도했던 자신에 대한 미움이나 원망 때문이었으리라.

"장난인데 뭘 그리 정색하고 그러냐, 간다."

그는 그런 내 어깨를 두어 번 툭툭 건드리며 말을 한 뒤 무리들과 함께 교실을 나갔다. 교실을 나가는 그 녀석에서 몇 마디라도 따지고 싶었으나 친구가 그를 따라가려던 내 손목을 붙잡았다.

"딱 봐도 질 안 좋아 보이는데 괜히 엮이지 말고 네가 참아. 엮여봐야 좋을 거 없는 거 너도 알잖아."

친구가 걱정스러운 표정으로 말했다. 친구의 말에 나는 깊고 길게 한숨을 내뱉고는 자리에 앉았다. 그래, 친구 말대로 똥 밟았다고 생각하자. 앞으로는 엮이지 않으면 될 일이다. 그렇게 생각했다. 정말 그렇게 생각만 할 뿐이었다. 이미 엮여버린 인연이라는 것일까. 오며 가며 그 녀석을 만나는 일이 잦아졌다. 당연히 그리 달갑지는 않았다.

처음에는 그저 인사였다. 그는 나를 만날 때면 항상 부담스러울 정도로 밝고 호탕하게 인사를 건넸다. 받아줄 때까지. 그때마다 어쩔 수 없이 나는 머쓱하게 손을 올려 인사를 받을 뿐이었다. 얼마간의 시간이 지나자 그런 부담스러운 인사는 어깨를 부딪힌다거나 발을 밟는 등의 행동으로 변해버렸다.

"아, 미안해. 생각 없이 걷다보니 거기 있는 줄 몰랐네. 그래도 사과했으니 친구끼리 그 정도는 봐줄 수 있지?"

그 녀석은 매번 그런 식으로 말했다. 그러고는 자신의 무리들과 낄낄거리면서 지나갔다. 당연히 실수는 아니었을 것이다. 아무리 눈치가 없고 멍청한 사람이라도 그 정도는 단숨에 파악할 수 있을 것이다. 굳이 내 쪽으로 다가와 뒤로 고꾸라질 정도로 세게 부딪힌 걸 누가 실수라고 생각할 수 있겠는가.

"아, 미안. 앞을 못 봐서."

"아, 미안."

"미안."

그리고 돌아오는 진정성 없는 사과, 그 의미 없는 사과가 짧아질수록 내 새하얀 운동화는 그의 발자국으로 점점 더러워졌다.

"이제 그만 좀 하지?"

더 이상 견디지 못할 정도로 화가 나 제대로 한마디 할 심산으로 내 발을 밟고 가는 그 녀석에게 쏘아 붙였다. 그러자 그는 어이가 없다는 듯한 웃음을 터뜨리며 주머니에 손을 꽂은 채 내게 성큼성큼 다가왔다.

"뭐라고 했냐?"

"그만 좀 하라고."

"뭘 그만해. 내가 일부러 그런 것처럼 얘기하네."

그러자 그는 내 앞에 자신의 얼굴을 삐딱하게 들이밀며 말했다. 가까워진 그의 얼굴을 보고 있노라면 다리가 후들거릴 정도로 무서웠다. 당장이라도 도망을 가고 싶어 얼굴의 모든 안면근육이 경련을 일으키려고 했다. 하지만 그럴 수 없었다. 이미 말을 뱉어졌고 나 또한 이 악연을 끊어내고자 하는 마음이 간절했으니까. 어떻게든 경련하는 근육들을 진정시키고 목소리가 떨리지 않도록 힘을 주며 한 마디를 더 던졌다.

"일부러 그런 게 아니면 뭔데."

이에 그는 자신의 무리를 돌아보며

"내가 일부러 그랬다는데 너희들이 생각하기에는 어때?"

하고 물었다. 그러자 그의 친구들은 지금 이 상황이 웃기다는 듯 실실거리며 고개를 가로젓거나 어깨를 으쓱했다.

"거 봐, 내 친구도 아니라잖아. 사내새끼가 뭐가 이리 예민하냐? 생리 터졌어?"

그는 오히려 내게 비아냥거렸다.

"참고 넘어가는 것도 한두 번이야. 너희들한테는 장난일지 몰라도 나한테는 아니니까 그만 하라고."

"장난? 실수라고 했고 사과도 했잖아. 뭐가 문제지? 미.안.

미.안.하.다.고.”

그는 내 뺨을 손바닥으로 툭툭 치며 얘기했다. 참을 수 없는 억울함과 모멸감에 눈물이 날 것만 같았다.

“네 새끼가 안 참으면 어쩔 건데. 지랄하지 말고 그냥 얌전히 있어!”

그는 내 뺨을 치는 강도를 서서히 높이더니 말이 끝날 땐 내 몸이 휘청일 정도로 세게 내 뺨을 후려갈겼다. 아, 자신의 의사를 분명히 밝힌다면 괴롭힘의 굴레를 끊을 수 있다던 무수한 이론은 도대체 누구의 머리에서 나온 거란 말인가. 딱히 그 말을 믿었던 건 아니지만 왜인지 그런 말을 해대던 수많은 교육 자료들과 강사들이 조금은 원망스러웠다. 내가 할 수 있는 건 그저 떨지 않으려고 주먹을 부르대는 것, 그 이상은 없었다.

“이젠 주먹도 쥘 줄 아네? 한 대 쳐보려고? 할 수 있으면 해봐, 부들거리고만 있지 말고”

이성의 끈이 완전히 끊어졌다. 휘청이는 몸을 바로 잡고 주먹을 내질렀다. 그는 예상치 못했다는 표정이었다. 잠시 뒤 한 번 더 몸이 휘청거렸다. 그러더니 잠시 뒤 턱관절이 아파왔다. 끝이 아니었다. 묵직한 감각들이 시간차 없이 몸을 파고들었다.

정신을 차렸을 땐 배 나온 학생주임 선생님이 오셔서 상황을 정리한 뒤였고 나는 몸을 부여잡고 복도 바닥에 고꾸라져 있었다. 제대로 일어설 수 있던 건 정신을 차리고부터 몇 초나 더 지난 뒤였다. 그제서야 숨이 쉬어졌고 몸을 가눌 수 있게 되었던 것이다.

몸을 가눌 수 있게 되자 나와 그놈은 교무실로 불려가게 되었다.

"엎드려."

교무실에 도착한 우리를 보자 학생주임 선생님은 다짜고짜 그렇게 말씀하셨고 우리는 다섯 대씩 엉덩이를 맞은 뒤부터야 비로소 이야기를 시작할 수 있었다.

"왜 싸웠어?"

학생주임 선생님은 성가시다는 듯 건조한 목소리로 말을 툭 던졌다.

"아니, 걷다가 실수로 발 좀 밟은 거 가지고 계속 시비를 털잖아요. 사과까지 했는데……"

선수를 친 건 그놈이었다. 그놈은 억울하다는 표정으로 선생님께 호소했다.

"알겠으니까 조용하고 네가 얘기해봐. 얘 말이 맞아?"

선생님은 그놈의 말을 자르고는 내게 물었다.

"실수가 아니었어요. 매번 볼 때마다 그러는 게 어떻게 실수예요?"

"야, 그래 솔직히 내가 너랑 친하고 그러니까 장난친 것도 있어. 기분 나빴다면 미안해."

"그게 어떻게 장난이야? 그리고 아까 싸운 것도 내가 싫다고 그만하라고 그랬을 뿐인데 네가 다짜고짜……"

"둘 다 조용히 해."

학생주임 선생님이 아까보다 조금 더 격양된 목소리로 우리의 언쟁을 종식시켰다.

"이 새끼들이 아직도 정신을 못 차리고, 둘 다 엎드려."

그렇게 우리는 한 번 더 매질을 당했다. 왜 내가 교무실까지 끌려와서 체벌을 당해야 할까. 나는 피해자인데……이해할 수가 없었다. 억울해서 따지고 싶었으나 괜히 매를 버는 일일 것 같아 차마 입을 열지 못했다. 그 사이 학생주임은 한숨을 짧게 내쉰 뒤 다시 자리에 앉고는 입을 열었다.

"너네도 이제는 고등학생이다. 친구끼리 장난 좀 칠 수도 있지. 근데 그건 받아드리는 사람이 장난으로 생각하지 않는다면 그때부터는 장난이 아니다. 그리고 너도, 좋은 말로 잘 해결할 수 있었을 텐데 언성을 높이고 주먹을 날리는 건 어린애 같은 행동이다. 한 대 맞았다고 해서 죽일 듯이 패는 것도 마찬가지고, 이제부터는 좀 더 어른스럽게 생각하고 행동하거라."

"죄송합니다."

이번에도 역시 선수를 친 것은 그놈이었다. 가지런히 손을 모으고 고개를 숙인 채 목이 메인 소리로 대답했다. 사실 이때는 선수고 뭐고 할 게 없었다. 애초에 나는 죄송할 일을 하지 않았으니까. 나는 오히려 학생주임의 시덥지 않은 가르침에 화가 치밀어 올라 무슨 말을 해야 할지 정리를 못 하고 있는 상황이었다. 마치 모든 사고 회로가 막혀버린 기분이었다.

"그래, 반성한다면 됐다. 그래도 잘못한 건 잘못한 거니 내일까지 A4용지 한 면짜리 반성문을 써와라 이번엔 그걸로 넘어가주겠다. 돌아가 봐라."

그런 상황 속에서도 사건은 순조롭게 종식되어 가고 있다는 게 어처구니가 없었다. 억울함과 흥분의 도가니 속에서 해야 할 말을 골라내는 동안 상황은 나 또한 똑같은 가해자로 정리가 되었다. 무언가 더 따지고 싶었고 더 호소하고 싶었지만 학생주임은 이미 자리를 떠난 상태였다. 내가 할 수 있는 건 아무것도 없었다.

"너 나 좀 따라와라."

교무실 문밖을 나서자마자 그놈은 날이 선 목소리로 내게 말했다. 직접적인 위협을 가하지는 않았다. 보는 눈이 많으니까. 그러나 보는 눈이 없는 곳에서는 달라지겠지. 그리고 그는 그곳으로 나를 데려가려는 거겠지. 이후의 상황이 뻔히 보였다. 그럼에도 난 그놈의 말을 거역할 수가 없었다. 그저 고개를 숙인 채 힘없이 그의 발자국을 쫓아갈 뿐이었다. 내 몸에는 이미 무수한 공포와 권력의 낙인이 새겨져 있었으니까. 도착한 곳은 다름 아닌 화장실이었다. 그것도 사용하는 사람이 거의 없는 1층의 교직원 화장실. 교직원들도 이곳을 사용하는 일은 거의 없으니 그야말로 최적의 장소. 그놈이 나를 그곳으로 밀어넣자 그놈의 무리가 화장실 입구를 막아섰다. 그와 동시에 그놈의 손이 내 뺨을 후려갈겼다.

"그러게, 이, 새끼야, 내가, 닥치고, 가만히, 있으라고, 했지, 왜, 지랄을, 해서, 일을, 귀찮게, 만들어, 이, 새끼야."

그가 한 음절씩 뱉을 때마다 내게는 벗어날 수 없는 각인이 더욱 늘어났다. 정신은 점점 혼미해져갔다. 정신을 차렸을 때 내 머리는 소변기에 처박혀 있었고 온 몸은 젖이있었다. 축축한 머릿결에서는 불쾌한 냄새가 코를 찔렀다. 아마 내가 정신을 잃자 머리를 그대로 소변기에 처박고 오줌을

갈긴 것이리라. 이게진정교무실에서참회하는모습을보이던그
놈과같은사람이란말인가.

"일어나 이 새끼야. 종쳤어."

그놈은 발로 내 머리를 떠받쳐 일으켜 세웠다.

"당장 머리 감아. 냄새나니까."

나는 초점없는눈으로 터벅터벅걸어가 머리를처박고는 온몸
에묻어있는 오물을씻어냈다. 내눈에들어오는 것은 얼음장같
이차가운물이었으나 두눈만은이루말할수없는작열감으로 타
들어가는것만같았다. 타들어가는눈을 식히기위해, 혹은미처
씻어내지못한다른것들을 씻어내기위해서였을까. 나는쏟아지
는물속에서 고개를들지못했다.

"적당히 하라고 이 새끼야."

그놈은, 아니 그 새끼는 내 다리를 걸어차며 내게 말했다.

"교실 돌아갔을 때, 선생한테 네 새끼 패고 온 거 걸리면
너는 진짜 뒤진다. 알겠어?"

"응, 미안해……."

내가 달리 할 수 있는 대답은 없었다. 그렇게 우리는 교실
로 돌아갔다. 하필이면 또 학주의 수업 시간이었다. 하등 도
움 안 되는 존재, 저런 것도 선생이라고 버젓이 교탁을 붙
잡고 학생들 앞에 서 있다니…….

"또 너희 둘이냐, 왜 늦었어?"

"둘이 화해하고 같이 화장실을 들렀는데 얘가 멍청하게 화장실 바닥에 있는 물을 밟고 미끄러졌어요. 추스르고 오느라 조금 늦었습니다. 죄송합니다."

그새끼는 걱정스럽다는 얼굴로 얘기했다. 이젠 아무런 생각도 들지 않았다. 아니, 아무런 생각조차 할 수 없었다. 그의 말을 들은 학주는 한참이나 의심의 눈초리를 보냈다.

"선생님, 죄송하지만 얘 좀 닦아줘도 될까요?"

그 새끼는 천연덕스럽게 휴지를 꺼내 젖은 내 몸을 닦아주었다.

"그래, 대충 닦고 너는 체육복으로 갈아입고 와라. 나머지는 다시 앞에 봐."

학주는 아무렴 어떻냐는 식으로 말을 내던지고 다시 수업을 이어나갔다. 나는 대충 몸을 닦고는 체육복으로 갈아입었다. 젖은 교복은 어쩔 방도가 없어 대충 물기를 짜서 가방에 쑤셔 넣었다. 옆자리의 친구는 그런 나를 측은하게 바라볼 뿐이었다. 머리에서는 여전히 물이 뚝뚝 흘러내리고 있었다. 유일하게 다행스러운 일이었다.

집에서는 당연히 난리가 났다. 젖은 교복 때문이었다. 그 일은 대충 얼버무렸다. 차마 부모님께 말씀드릴 수가 없었다. 내보금자리속에서도 내가할수있는건 그저소리없는눈물로 얼룩진운동화를 닦는것뿐이었다. 더러워진 정도가 심해서인지 운동화의 얼룩은 아무리 닦아도 잘 지워지지 않았다.

"밥 먹어라."

벌써 아홉 시인가보다. 얼른 감정을 추스르고는 식탁에 앉았다. 아빠는 자연스럽게 뉴스를 틀었다.

'청소년 자살문제 심각'

첫 뉴스의 헤드라인이었다. 이후 앵커는 정해진 대본에 따라 뉴스를 읊어나갔다.

"최근 들어 청소년 자살문제가 대두되고 있습니다. 과도한 학업 스트레스가 주된 원인일 것으로 판단되며, 한편에서는 연예인의 자살을 모방하여……"

"어휴, 어린 것들이 뭐가 그리 힘들다고…… 이게 다 정신상태가 나약해 빠져서 그런 거야."

아빠는 뉴스를 보면서 핀잔을 늘어놓았다.

"그러게, 죽을 용기가 있었으면 그 용기로 더 살아갈 것이지."

엄마 또한 거들었다. 나 또한 마음속으로 그 말에 동조하고 있었다. 확실히 자살을 한다는 것은 자신에게도, 그 주변 사람에게도 좋은 일은 아니니까 말이다. 그 뉴스가 끝나고 이어지는 뉴스들은 새롭게 변화하는 교육과정과 입시제도 등과 관련된 이야기였다.

"매년 저리 제도가 바뀌니 요즘 애들은 힘들겠어."

역시 이번에도 아빠가 뉴스를 보며 한숨을 쉬었다. 그러고는 다시 말을 이었다.

"너도 힘들겠지만 포기하지 말고 끝까지 열심히 하거라. 결국 우리나라에서 내세울 건 대학 간판뿐이다. 마지막 3년만 고생하면 탄탄대로를 걷게 될 거야. 노는 건 그때 가서 놀아도 늦지 않는다."

"네, 걱정 마세요."

나는 대답했다. 틀린 말은 아니니까. 당장 내가 할 수 있는 건 아무것도 없다. 다만 공부해서 좋은 대학에 간다면 내가 원하는 건 뭐든 할 수 있을 거다. 지금과는 급이 다르게 놀 수도 있다. 자유를 누릴 수 있을 것이며 그 새끼와는 비교할 수 없을 정도로 멋진 삶을 살게 될 거다. 그저 그렇게 내 속에 독을 채웠다. 물론 그 독으로 누굴 해할 일은 없다. 다만 부모님의 말대로 공부를 할 뿐이었다. 밥을 먹고는 방으로 들어가 자정이 조금 넘는 시간까지 공부를 했다.

집중은 잘 안 됐지만 어쩔 수 없었다. 저녁 식사 전까지는 책을 펴보지도 못했으니…….

 다음날 학교에 가자 그 새끼의 무리는 여전히 내 자리 주변에서 떠들고 있었다.

 "왔냐?"

 그 새끼는 천연덕스럽게 내게 인사를 건네고는 말했다.

 "오늘은 샌드위치 사 왔냐?"

 나는 눈을 내리깐 채로 멍하니 서 있었다.

 "이 새끼가, 이제는 말까지 씹냐? 묻잖아. 그래서 빵 사왔냐고."

 역시나 그는 실실거리며 내게 말했다.

 "왜? 돈이 없었냐? 거지새끼. 에미, 애비가 용돈도 못 주냐?"

 나는 아무런 말도 할 수가 없었다. 내가 할 수 있는 거라곤 감정이 터지지 않게 꾹꾹 눌러 담는 것뿐이었다.

 "네가 아침을 안 사 오니까 배고파서 공부를 할 수가 없잖아. 내일부터는 꼭 사 오고 오늘은 가서 매점이라도 털어 와."

 그 새끼는 계속해서 나를 몰아붙였다.

"야, 야, 이 새끼네 걸뱅이라서 돈 없다잖아."

그 무리 중 한 명이 낄낄거리면서 말했다. 그러자 그 새끼를 포함한 무리의 모든 놈들이 낄낄거리며 나를 비웃었다.

"아, 맞다. 그랬지. 그래 돈은 줄게. 얼른 튀어가서 사와."

그 새끼는 배를 부여잡고 웃으며 주머니를 뒤지더니 동전 몇 개를 꺼내 내 얼굴에 던졌다.

'짤그랑'

동전이 떨어지는 소리가 둔탁하게 교실에 울려 퍼졌다. 교실의 아이들은 잠시 웅성거리더니 그 새끼와 무리들이 주변을 둘러보자 이내 조용해졌다.

"야, 뭐하냐? 아직도 안 갔냐?"

그러고는 그 새끼가 내게 말했다.

"미안……."

나는반사적으로 그에게사과하며 땅에떨어진 동전을주웠다. 다른학생들은 슬금슬금 눈치만볼뿐이었다. 이시간엔항상책상에엎드려잠만자던친구는가방만책상옆에대충던져두고는자리를비운상태였다. 소용없다나 를도와 줄사람은아무도없다 빠져나 갈수없고 립감이내몸과마음에새겨 진녹인의싱처를 더 욱아프게했다

"병신새끼……."

그새끼는 나지막하게 한마디읊조리고는 자리로돌아갔다. 온몸에 힘이 모두 다 빠져나간 상태였지만 나는 억지로 힘을 짜내어 매점을 향해 내달렸다. 조례 시간이 임박했고 나는 그 시간 이전까지 빵을 사와야 했으니까. 조금이라도늦어지면또변기통에머리가처박힐테니까.

그러나 내 예상과는 달리 시간에 맞춰 빵을 사왔어도 나는 그 새끼들에게 이끌려 1층 교직원 화장실로 가고 있었다. 다행히 변기통에 머리가 처박히지는 않았다.

"장난치냐?"

그 새끼는 다짜고짜 욕을 하며 내 뺨을 후려갈겼다. 영문은알수가없다. 아니, 사실영문을찾는다는것부터가잘못된생각이겠지.

"누가 이딴 쓰레기 같은 빵을 사오래. 맛이 좆같잖아 이 새끼야."

그러고는 내 입에 빵을 쑤셔넣으며 말했다.

"네가 다 처먹어 이 새끼야."

내가 입을 벌리지 않자,

"왜? 빵만 주니까 텁텁해? 목이 막혀서 못 처먹겠냐?"

라고 말하며 대변기가 있는 칸으로 들어갔다. 무리 중 한 새끼가 소변을 봤던 그 칸이었다. 물은 내리지 않았다. 그

새끼는 그 칸에 들어가 빵에 변기물을 적셔왔다.

"자, 이제 됐냐? 안 텁텁하고 촉촉하고 좋지? 어서 처먹어 이 새끼야."

그새끼는그렇게말하며내입을억지로벌린뒤빵을쑤셔넣었다. 나는구역질을하며입에들어간빵을모두토해냈다

"허, 이 새끼가 미쳤나."

그러자 그 새끼는 코웃음을 치며 나를 때렸다.

"야, 내가, 사준, 빵을, 뱉어? 뱉었냐고, 새끼야."

견디지못할아픔에 그만바닥에주저앉았다.

"다 처먹어. 한 조각이라도 남긴 순간 뒤지는 거야 알았어?"

그새끼의닦달에어쩔수없이떨어진빵을주워먹어야만했다그럼에도그새끼는만족하지못했나보다.

"야, 거기 부스러기 남았잖아. 핥아먹어."

그러면서 쓰러져 있는 내 머리를 발로 눌러 바닥에 붙였다. 나는그상태로혀를내밀어화장실 바닥을핥을수밖에없었다. 수차례바닥을핥은후에야그는나를풀어주었다. 그런나날이내게는이제 일상이되었다. 그렇게무뎌졌다. 아니, 무뎌져야만했다. 그래, 무뎌져야만했다. 어떻게든. 그래야만버틸수있으니까.

그렇게 교직원 화장실을 빠져나가는 나를 이번에는 무리 중 한 명이 불러 세웠다.

"그러고 보니 이 새끼, 걸레짝 같아서 몰라봤는데 신발은 비싼 거 신고 다녔네? 나도 이런 싸구려를 신고 다니는데 병신 같은 네가 그런 걸 신고 다니는 건 말이 안 되지."

그러면서 내게 달려든 뒤 내 다리를 붙잡았다. 나는 그대로 앞으로 넘어졌다. 그는 아랑곳하지 않고 내 발에서 신발을 벗겨갔다. 그러고는 자신의 발에 신어보더니

"사이즈도 딱 맞네. 고맙다. 너는 이거나 신어라."

하며밑창이다뜯어져너덜너덜해진자신의운동화를내몸에던져놓고는무리들과함께유유히사라졌다.

내가 이걸 견뎌낼 수 있을까. 하루는 교무실 문 앞까지 찾아갔었다. 물론 열지는 못했다. 아니, 열지 않았다. 선생들에게 그 말을 털어놓는다고 해결될 문제였으면 일전에 우리가 싸웠던 그 상황이 그렇게 어이없이 정리되지는 않았겠지. 분명 어영부영 넘어갔을 테고 그새끼는한번더내머리를변기통에처넣겠지. 그렇게 나는 뒤를 돌아 교무실 앞을 떠났다. 부모님은, 부모님은 나를 도와주시지 않을까, 모든 게 막혀버린 상황이지만 그래도 엄마, 아빠라면, 그런 마음에 저녁

식탁에서 말을 꺼내보았다. 여기는 내 보금자리니까. 지금 이 자리에 둘러앉은 모두는 내 편이니까. 쓸모없는 선생들과는 다르겠지.

"엄마, 아빠. 나 요즘 너무 힘든데 정신과 진료라도 한 번 받아볼까……?"

그러자 처음에는 엄마가 놀란 눈으로 나를 쳐다보았다. 이어질 내 말을 기다리고 있는 것 같았다. 그러나 차마 사실대로 털어놓을 수는 없었다. 매일 변기통에 머리를 감고 있다는 걸 어떻게 사실대로 털어놓을 수 있겠는가.

"그냥 공부하는 게……."

말이 끝나기도 전에 아빠가 언성을 높이며 말했다.

"야 인마, 성적이나 잘 받아오면서 그런 말을 해라. 네 성적이 좋았으면 공부하느라 힘들다는 말이 이해가 가지. 2, 3등급이 뭐냐, 2, 3등급이. 이 새끼가 지금 그런 식으로 공부하면서 힘들다는 말이 나와?"

나는 아무런 말도 할 수가 없었다.

"그래, 공부도 그렇게 열심히 하지도 않으면서 그런 말을 하는 건 좀 아니라고 본다. 그리고 정신과? 너 알고나 하는 소리니? 정신과 한 번 가면 그거 다 기록에 남아. 네 장래에 문제가 생기는 거라고"

엄마가 아빠를 거들었다. 역시 아무말도 할수없었다.

"아니에요, 그냥 한 번 해본 말이에요. 밥 잘 먹었습니다. 다시 공부하러 가볼게요."

나는 젓가락질을 멈추고는 자리에서 일어나 방으로 들어갔다. 책상에 앉아 책을 편 채로 양손에 얼굴을 묻었다. 이윽고 방문이 벌컥 열렸다.

"야 이 새끼야, 그게 어디서 배워먹은 싸가지야. 우리가 너를 그렇게 가르쳤냐? 사내새끼가 그거 조금 뭐라고 했다고 꽁해서 그냥 방으로 기어 들어가?"

나는그저연거푸죄송합니다잘못했습니다하며빌뿐이었다한참을그렇게빈뒤에야아빠는문을쾅닫고방을나갔다

'도움도 안 되는 꼰대 새끼……아무것도 모르면서.'

그렇게 생각하고는 이불을 덮어쓰고 잠에 들었다. 잠이 오지는 않았지만.

다음날 아침도 똑같은 일상의 반복이었다. 뉴스에서는 여전히 학교폭력, 청소년 자살 등의 문제를 자신과는 전혀 상관없는 남의 일인 것마냥 다루고 있었다. 학교에서도 학교폭력 근절 캠페인이니, 학교폭력 상담실이니 하면서 이러한 사회 트렌드에 발맞춰 움직였다. 실질적으로 도움 되는 건 없었다. 늘 그랬든 별거 아닌 장난, 사소한 다툼 정도로 결

론 날 뿐이었으니까. 애당초 학교폭력 상담실을 운영하는 게 무슨 전문가들이 아닌 일개 선생들일 뿐이었고 그들은 괜한 일로 문제가 커지는 것을 원하지 않았으니까.

'도움도 안 되는 꼰대 새끼들……'

나는 또 그렇게 생각할 수밖에 없었다.

종례시간, 청소년 자살이 크게 이슈화된 만큼 담임도 괜한 문제가 생길까 걱정이 되었는지 그 일에 대해 언급했다.

"요즘 청소년 자살 사건이 많은데 이 선생님은 여러분 중에서는 그런 엄한 생각을 하는 학생이 없다고 믿는다. 혹시나 그런 생각을 하는 친구가 있대도 마음을 고쳐먹기를 바란다. 자살은 멍청한 짓이고 나약한 애들이나 하는 비겁한 선택이다. 더욱이 남겨진 사람들에게 씻어낼 수 없는 상처를 주는 몹쓸 짓이다. 알겠지? 자살할 용기가 있으면 그 용기로 인생을 살아라. 그럼 성공할 수밖에 없다. 죽기까지 마음먹었는데 못할 일이 어디 있겠냐?"

대부분의 사람들이 얘기하는 뻔한 레퍼토리, 그와 더불어 사람들은 얘기한다. 인생에는 크고 작은 행복들이 있고 내일에 대한 희망이 있다고. 그렇기에 살아있다는 것은 기쁜 일이며, 삶이란 아름다운 것이라고. 때문에 자살은 더더욱 멍청한 짓이라고 궤변. 전부 틀린 이야기다. 삶은 아름다운 것이 아니며 행복, 희망, 기쁨 따위는 절대적인 게 아니다. 잠깐 반짝했다가 우리에게 더 큰 좌절을 안겨준다. 그래, 그것들은 그저 슬픔과 좌절 같은 것들을 돋보이게 하기 위한 일종의 장치일 뿐이다. 그리고 뭐라고? 자살은 나약한 자들의 비겁한 선택? 타인은 고려하지 않은 채 그저 도피하는 거라고? 아무것도 모르면서 지껄여대는 그 말에는 대꾸할 가치조차 느끼지 못하겠다. 애초에 주변 사람들을 생각할 필요는 없다. 주변 사람들에게 자신은 아무것도 아닌 존재였을 테니까. 수차례 도움을 요청했고, 또 그만큼 외면당했을 테니까. 정작 필요한 순간에는 사라지는 그런 방관자들의 마음을 왜 헤아려줘야 하는가. 무언가를 바랄 수조차 없게 만들어버린 주제에 본인들은 위로를 바라다니……. 그러면서도 그들은 자살을 택한 사람들이 죽어버리자, 비겁하니 어쩌니 하는 욕설과 비난 뒤에 숨어 죄책감을 감추려 들었지 않았는가. 그것이야말로 비겁함과 졸렬함이 아니고 무엇이겠는가. 역겨울 따름이다.

자살, 그것은 결코 비겁한 선택이 아니다. 용기의 산물이요, 숭고한 선택이다. 선(善)의 탈을 쓰고 자신을 옭아맨 채 자유를 억압하는 모든 것들을 벗어던지는 것, 그렇게 진정한 자유를 찾아 떠나는 용기다! 멋졌다. 나의 영웅들처럼 나 또한 자유로워지고 싶어졌다 내 발은 자연스레 계단을 올랐다 더이상 오를 곳이 없을 때 하늘과 맞닿은 그곳에 도착했을 때, 비로소 마음이 편안해졌다. 그저 눈치만보던 방관자들도, 같잖은말만 지껄여대던꼰대들도, 내게 그지랄을해댔던새끼 들도 모두용서할 수있게 되었 다 오히려불 쌍하다고생각했다 다들 본인을옭아매는 신체감정 경제사회신분같은 제약때문에 화가 났던것이 리라. 진정한자유 를알지못하는 그들이그저 불쌍하게만느껴졌다

심호흡을 하고주위를 둘러보았다 아무 것도보이 지않는 진정한어 둠마치 진정한자유 를 보여주는 것같았다 마음이편안해졌다계속해서시선을옮겼다우뚝솟은붉은십자가가시선을빼앗았다신께서도내게진정한자유를선사하기위해부르고있는것이리라이제마음껏자유를누릴수있다는설렘과기대감에환희의눈물이차올랐다그무엇보다뜨거운눈물이었다나는기쁜마음으로힘차게도약하며숨겨왔던날개를펼쳤다

그어떤날개보다

더크고빛나는

그런날개였다

그저한없이

아

름

답

기

만

한

회색도시 3번가 63번지
행운의 실바니안

무빙워크를 타고 올라가기를 수 층. 그러고도 빠른 걸음으로 수십 보를 더 걷고 나서야 드디어 네 앞에 다시 설 수 있게 되었어.

"안녕."

늘 너를 마주보며 건네던 일상적인 인사였지만 너무나도 오랜만에 다시 마주하게 된 우리였기에 그 평범하면서도 가벼운 일마저도 어색함이 느껴지는 건 어쩔 수 없는 것 같네. 그만큼 우리가 떨어져 있던 시간이 길었고, 한편으로는 그 시간만큼이나 서로를 그리고 있었기 때문이겠지. 너무 좋은 일을 만나면 마치 꿈인가 싶을 정도로 어색하게 느껴지는 그런 것처럼 말이야. 뭔지 알지?

아무튼 난 그동안 조금 외로웠어. 물론 내 주위엔 언제나 수많은 사람들이 있었고 나는 그 사람들의 중심에 서 있었긴 했지만……나야 언제나 너만을 생각하고 있었으니까. 자기들 좋을 대로 내 시간을 쪼개고 빼앗는 사람들, 그리고 그런 세상이 오히려 야속하게만 느껴질 뿐이더라.

아, 맞다. 이어폰. 정신없이 달려오다 보니 중요한 걸 깜빡하고 있었네. 잠시만.

.

.

.

이제 됐어. 다른 무언가의 방해도 받지 않고 서로에게만 집중할 수 있을 거야. 예전처럼 네 손을 잡으니 너의 그 부드러움에 비로소 차가웠던 내 몸에도 다시 온기가 도는 듯해. 이래서 내가 너를 사랑할 수밖에 없나 봐. 다른 데서는 느껴볼 수 없는 포근함을 너는 언제나 내게 안겨주니까. 지금까지도 그래왔듯이 앞으로도 너와 함께할 수 있기를……

우리 동네에는 십수 년 전 세워진 대형마트가 하나 있다. 물론 그전에도 '마트'라 불리는 곳은 많았지만 동네 자체가 그리 크지 못했었기에 그 마트들 또한 '대형'이라는 수식어를 붙이기에는 다소 애매한—기껏해야 동네 슈퍼마켓들보다 조금 더 큰 정도의 마트들뿐이었다. 그래서일까, 누가 봐도 '대형'이라는 수식어가 충분히 어울릴 만한 그 마트가 처음 들어설 때는 마트와의 거리를 떠나서 이 동네, 그리고 인근의 작은 동네 사람들까지도 모두 이목을 집중했었다.

그로부터 몇 개월 뒤, 비로소 문을 연 대형마트는 훨씬 이전부터 받아왔던 기대에 걸맞게 영업 개시 첫날부터 수많은 사람들의 발걸음을 당겼다. 학교를 마친 학생들도, 집 근처 슈퍼나 전통시장을 애용하던 주부들도 굳이 먼 길을 돌아가면서까지 그 큰 대형마트로 향했다. 오로지 그들이 품어 왔던 그간의 기대와 호기심을 해소하기 위해서. 혹은 남들보다 앞서 그곳에 가봤다는 걸 자랑하기 위해서.

당시의 나는 혼자서 돌아다닐 수 있는 반경이 그리 넓지 못했기에 개업 첫날부터 그곳을 구경하러 가보지는 못했다. 그때의 나이가 정확히 기억나지는 않지만 기껏해야 초등학교 저학년생 정도였을 테니까. 그리고 그런 날 데리고 다녀줄 부모님은 항상 바빴으니까. 그나마 다행이라 할 만한 건 학교 앞 놀이터에서 친구들과 노는 것이 대형마트에 대한 호기심을 해소하는 것보다 더 좋았기에 딱히 아쉬움이나 야속함을 느낄 겨를은 없었다는 것 정도려나. 가끔씩 부모님의 손을 잡고 대형마트를 구경하고 온 뒤, 굳이 그걸 어떤 대단한 경험이라도 했다는 듯, 아직 가보지 않았다는 아이

들을 깔보며 자랑을 해대는 친구들이 있었긴 했지만 말이다. 뭐, 그런 아이들에게는

"어차피 큰 마트일 뿐이잖아. 마트는 우리 집 앞에도 있는걸."

하면서 대수롭지 않게 여겨주면 그만이긴 했다. 무엇보다 당시의 나는 실제로도 그렇게 생각하고 있었으니까.

그래도 그 대형마트라는 게 대단한 게 맞았던 것 같기는 하다. 평일에는 매일 새벽같이 나가서 늦은 시간에야 겨우 퇴근하고는 잠만 대충 자고 다시 나가는, 그러면서도 주말에는 영업 골프니, 등산이니 하는 것 때문에 밖으로 나다니기 바빴던 우리 부모님도

"이번 주말에는 엄마, 아빠랑 같이 새로 생긴 마트 구경 가볼까? 엄마가 장 봐와서 맛있는 거 해줄게."

하며 굳이 주말 시간을 빼 차를 타고 한참을 달려 그곳에 갔으니까. 평범한 가정에서 자란 사람들은 잘 모르겠지만 적어도 내게 그건 엄청 대단한 일이 맞았다. 애초에 부모님과 마주칠 수 있다는 것부터가, 심지어 손을 잡고 어디를 함께 간다는 것 자체가 정말 이례적인 일이었으니 말이다. 그리고 그쯤에서 나는 그 대형마트가 '단순히 큰 슈퍼마켓이나 마트일 뿐'이라는 생각을 접어둘 수밖에 없게 되기도

했었다. 지금까지 내가 경험해왔던 그것들과는 상당히 다른 모습을 하고 있었기 때문이다.

지하로 아무리 내려가도 그 끝을 알 수가 없던 주차장, 텔레비전에서나 보던 다양한 시식 코너, 웬만한 슈퍼마켓 하나보다 더 큰 장난감 코너와 여러 매장들까지. 그때의 내가 무엇을 상상했든 그 대형마트의 규모보다는 무조건적으로 작았을 것이다. 쇼핑카트를 끌던 아빠와 내 손을 잡고 있던 엄마의 표정에서도 그 격정적인 기분이 그대로 떠오르는 듯했었다. 물론 지금에야 그 대형마트보다 훨씬 더 크고 세련된 대형마트들, 심지어는 백화점까지도 우후죽순 생겨나 버렸으니 이제는 뒷방 늙은이 신세를 면치 못하는 상황이지만 말이다. 실제로 주변을 둘러봐도 굳이 그 마트를 찾는 이들은 이제 없다. 정말 집에서의 거리가 가깝다거나 우연히 그 마트가 있는 동네에 용무가 있어 방문한 경우, 혹은 정말 파격적인 할인행사를 진행하는 게 아니라면 대부분은 근처 백화점이라든가 다른 대형마트로 발길을 돌렸다. 심지어 거리상으로는 그 마트가 더 가까울지라도 굳이 먼 거리를 이동하여 새로 생긴 대형마트나 백화점으로 장을 보러 가는 경우도 있다. 과거의 그들이 그 마트가 생겼을 때 그랬던 것처럼. 최근에는 마트나 백화점보다 전통시장을 애용하는

사람들도 더러 생긴 것 같고

 그러나 나는 여전히 그 마트를 선호한다. 아니, 정확하게 말하자면 그 마트만을 이용한다는 게 맞을 것 같다. 필요한 물건을 사야 할 때도, 때로는 필요한 물건이 없을 때도 그 마트를 방문한다. 그래, 굳이 버스를 타고 갔다가 버스를 타고 돌아오면서까지. 그곳이 집에서 가깝기 때문인 것도, 다른곳보다 더 저렴해서 그런 것도 아니다. 그 마트에서만 파는 어떤 물건이 필요해서 그런 건 아닐까 생각했다면 그건 더더욱 틀린 대답이다. 그랬다면 필요한 물건이 없을 땐 왜 거기까지 가겠는가.

 이쯤에서 내 어린 시절을 아는 몇몇 사람들은 그 마트가 부모님과 함께 한 몇 안 되는 어린 시절의 추억이 서려 있는 장소여서 그렇지 않을까, 하고 생각할 수도 있을 것이다. 하지만 아니다. 그 정도는 딱 잘라 말할 수 있다. 내가 그 마트를 자주 가게 된 계기가 부모님과 손을 잡고 마트를 구경 갔던 그날 생기게 된 것은 맞지만, 어찌됐든 그건 부모님과의 추억과는 별개의 이야기였다.

 그때의 우리는 장을 보기 전 마트 가장 위층 식당가에 입점한 패밀리 레스토랑에 가서 점심을 먹었다. 그리고는 한 층씩 내려가면서 총 4층짜리의 매장을 구석구석 살펴보았다. 그중에서도 가장 오래 있었던 코너는 두 가지였는데, 3층의 스포츠용품매장, 그 안에서도 골프 용품 코너가 바로 그중 하나였다. 매 주말 나를 집에 혼자, 혹은 할머니에게 던져두고 골프를 치러 다니던 부모님이었기에 골프웨어부터 캐디백, 클럽들까지 반짝반짝하게 닦여 정갈히 정리된 그 모습을 보고는 눈이 안 돌아갈 리가 없었으리라. 이해한다. 부모님의 시간이 끝나고 한 층을 더 내려가 도달한 장난감 매장에서는 내가 그러했으니 말이다. 그래, 지금까지도 그 마트만을 고수하는 계기가 된 바로 그곳이다.

부모님은 나를 집에 버려두는 대신 병적이라고 느껴질 정도로 많은 옷이나 장난감 같은 걸 사주셨었다. 텔레비전에 광고가 나온다거나 카탈로그를 봤다든가 하는 등 어떤 방식으로든 유행, 신상이라는 소식을 접하게 되면 그 순간 모두 내 손에 쥐여져 있던 것이다. 그래서 나는 지금껏 단 한 번도 장난감이 부족하다고 생각해본 적도, 어떤 걸 갖고 싶다고 생각해본 적도 없었다. 그런 마음이 들 만한 것들은 이미 갖고 있던 것들이었으니까.

다만 그곳에는 그런 나로서도 탐날 정도의 특별한 무언가가 있었다. 행운의 실바니안 패밀리—정식 명칭은 아니었지만 나는 그걸 처음 본 이래로 지금껏 스스로 그렇게 불러

왔다.

실바니안 패밀리의 상품을 그때 처음 봤던 것도, 그래서 그 인형들을 보고 탐을 냈던 것도 아니다. 집에는 이미 장난감이 많이 있었다고 했지 않았던가. 실바니안 패밀리의 인형들도 예외가 아니었다.

한편 행운의 실바니안이란 판매를 목적으로 만들어진 인형은 아니고, 실바니안 패밀리의 제품을 홍보하기 위해 판매 코너 입구에 세워둔 커다란 마케팅용 인형이었다.

"왜? 실바니안 인형이 갖고 싶어? 어디 새로 나온 게 있는지 한번 볼까? 마음에 드는 게 있으면 사줄게."

그걸 한참이나 들여다보고 있던 내게 부모님은 그렇게 말했었다. 이에 나는

"아니야, 작은 실바니안은 집에 많잖아. 그냥 이 실바니안이 좋은 거야."

하고 대답한 채 그걸 계속 들여다보고만 있었다. 그러자 부모님은

"어쩌지, 이건 파는 게 아닐 텐데……."

하며 난처해 했던 것 같다. 나는 괜찮았는데 말이다. 당시의 내가 아무리 어린 나이였다고 한들, 그게 비매품이라는 걸 모르지도 않았을뿐더러, 그저 내 키만 한 그 실바니안

인형이 무언가 대단하게 느껴졌고, 그래서인지 그냥 좋은 마음이 들었을 뿐이었다.

"괜찮아, 갖고 싶은 건 아니야. 그냥 좋아서 계속 보고 있는 거야."

라는 내 대답에 부모님은 조금 안심한 듯, 그러면서도 그냥 그렇게 하염없이 구경만 하고 있는 게 조금은 지루했던 듯,

"큰 실바니안이 왜 그렇게 좋아?"

라고 물어봤었다. 물론 난 제대로 대답할 수 없었지만 말이다.

"그냥."

그 말밖에는 떠오르는 게 없었다. 아마 그 질문에는 여전히 명확한 답을 내놓지는 못할 것 같다. '귀여워서'라면 그건 작은 실바니안이었어도 상관없었을 테니까. 작은 실바니안에서는 느낄 수 없는 무언가가 있었던 것이다. 나와 비슷한 키의 그를 보며 일종의 동질감 같은 것을 느끼는 한편 내게는 없는 무언가를 그들에게서 느꼈던 걸지도 모를 일이다. 예컨대 가족들과의 다정하고 화목한 모습 같은 것들 말이다. 그들은 언제나 모든 가족 구성원들이 모여 다정하게 손을 잡은 채로 웃고 있었으니까. 평일이든 주말이든 부모

님과는 마주치는 것조차 어려운 나와는 달리······.

이야기가 여기에까지 이르렀다 보니 우리집에 대한, 그리고 우리 가족에 대한 이야기를 더 이상 미룰 수만은 없을 것 같다. 뭐, 기억을 되짚어가면서까지 회고할 만한 이야기는 아니지만 우리집이 다른 집에 비해 특별했던 건 사실이니까. 적어도 내가 보기엔 그랬다. 경제적으로나 가족 구성원들 간의 관계적으로나 말이다.

내 부모님은 작은 회사를 함께 경영하셨었다—이는 현재진행형으로 보는 게 맞을 테지만 그때의 회사와 지금의 회사는 규모 면에서 약간의 차이를 보이기에 우선은 과거형으로 서술하겠다. 그렇다고 해서 '기업'이라든가, 'CEO'라든가 하는 이름들을 갖다붙이기에는 여전히 우스울 정도의 규모에 불과하다. 아무튼 중요한 건 지금이 아닌 그때 그 시절이니 그때 그 시절에 집중해서 이야기를 풀어나가련다.

당시에는 우리 부모님을 포함하여 총 다섯 명의 직원이 일을 하던 회사였다. 예나 지금이나 무슨 일을 하는 회사인지는 정확히 모르겠지만, 제조업체들로부터 물건을 떼와서 소비자들에게 유통하는 일을 하는 회사인 듯했다. 가장 중요한 부분인 '벌이'는 회사 규모에 비해 꽤 좋았던 것 같다. 우리집이 손에 꼽을 만큼의 부잣집은 아니었지만 주변 친구들과 비교했을 때 부족하다고 느껴질 만한 집은 아니었으니까. 오히려 경제적인 부분에서만큼은 그 어린 나이의 나였음에도 유복하단 것을 체감할 수 있을 정도였다.

물론 그건 부모님께서 정말 열심히 일을 하셨던 덕분이었다. 부모님은 정말이지 밤낮없이 일하셨으니까. 심지어 주말도 없이. 어린 시절에도, 조금 더 머리가 커져 중고등학생이 된 시점에도 그랬다. 밤을 새워 공부하는 그런 특별한 경우가 아니고서는 부모님이 퇴근하는 모습을 본 적이 없었다. 아침이야 말해 무엇하겠는가. 서로가 비몽사몽한 상태로 부랴부랴 준비해서 자신의 길을 떠나는 게 전형적인 현대인의 아침이니까. 우리집이라고 다를 건 없었다.

주말 상황에 대해서는 앞에서도 살짝 이야기한 듯한데, 거래처 사람들과 골프나 등산을 다니면서 충분한 친분과 우호적인 관계를 형성하느라 바빴다. 그것도 일의 연장이라나 뭐라나. 지금까지 지내온 모든 주말이 그러했던 건 아니지만 대체적으로는 그랬다. 혹여나 그렇지 않은 날들이 있었다고 한들 나의 부모님에게는 완전히 방전되어버린 몸뚱어리를 쉬는 데만 해도 이틀이라는 주말의 시간이 부족할 정도였다. 때문에 나는 내 인생에서 대부분의 시간을 혼자 있거나 부모님과 함께 있어도 혼자 있던 것이었다.

이러니 지금까지도 부모님과 한 공간에 있을 때 어색함을 느끼는 건 어쩔 수 없는 일일 거다. 그래, 이게 내가 말했던 가족 구성원 간의 관계적인 부분에서 특별하다는 점이다. 부모와 자식이 함께 자리하고 있을 때 어색함의 기류가 느껴진다는 점 말이다. '일반적인 가정'이라면 이게 그리 흔한 일은 아닐 테니까. 어쩌면 이 부분에서만큼은 손에 꼽힐 수 있을 정도가 아닐까 싶기도 하다. 물론 그 견해는 적어도 내가 지금까지 겪어온 수많은 인연들을 돌아보아도 이런 사정을 가진 집안은 없었다는 경험 제원에 근거한 지극히 개인적이고 주관적인 견해에 불과하겠지만 말이다.

분명 우리 부모님도 그런 게 일반적인 가정의 모습이 아니라는 것쯤은 잘 알고 있었을 거다. 그게 부모로서의 도리라거나 미안한 마음을 가져야 한다는 말을 하고 싶은 건 아니다. 단지 내가 고등학교를 졸업하고 대학 생활을 위해 타지에서 생활하기 시작했을 때부터는 부모님이 내가 자신들을 대할 때 그런 감정, 그런 정서를 가지게 되었다는 데 일종의 죄책감이나 책임감을 느끼고 있음이 행동에서부터 드러나기 시작했던 것이다. 그리고 그런 모습은 대학을 졸업하고 잠시 해외에서 유학을 하고 있을 때, 취업을 하고 분가를 했을 때, 그러니까 시간이 지날수록, 혹은 거리가 멀어질 수록 더욱 짙게 나타났던 것 같다. 이유가 무엇이었든지 간에 내가 간혹 부모님의 집에 갈 일이 생기면 도착 며칠 전부터 벌써 온갖 유난이란 유난은 다 떨어댔다. 어떤 일로 오느냐, 얼마나 머물다 가느냐, 먹고 싶은 건 없느냐, 말만 해라 다 해주겠다 같은 것들. 그리고 떠날 때는 벌써 가느냐, 조금 더 있다가 가면 좋지 않겠느냐 하는 아쉬운 소리들.

남들이 보기엔 오랜만에 부모의 품으로 돌아온 하나뿐인 자식을 맞이하고 함께 했던 짧은 시간을 뒤로한 채 또다시 그를 떠나보내는 부모님의 전형적인 모습일 것이다. 그러나 내가 자라왔던 가정은 '일반적인 가정'과는 조금 다른 특별함이 있다는 것을 잊지 말아야 한다. 지금껏 내가 봐오지 못했던 부모님의 모습이었기에 내게는 그저 이질적으로 느껴질 수밖에 없는 거다.

'이제라도 부모님께서 잘 챙겨주시면 좋은 거 아니야?'

이 질문이 왜 안 나오나 했다. 좋은 게 좋은 거니까. 하지만 좋은 것과 부담스러운 건 엄연히 다르다. 부모님의 그런 모습이 내게는 조금 과하게 느껴졌고 그건 부담이 되어 나를 내리눌렀다. 부모님이 그렇게 유난을 떨 때면 오히려 숨이 막히는 것 같았다. 한 번은 그런 부모님을 불러놓고 진지하게, 그러면서도 정말이지 부드럽고 완곡한 표현으로 내 마음을 전한 적이 있었다. 그렇게 신경 쓰지 않아도 된다고, 괜찮다고, 오히려 이러는 게 내게는 더 불편하다고. 그럼에도 부모님은 바뀌지 못했다. 오히려 그렇게 말씀드린 이후로 부모님의 그런 행동이 더욱 심해진 것 같기도 하다. 마치 그런 행동들이 나를 위해주는 행동이 아니라 자신들의 죄책감을 덜기 위한 행동일 뿐이라는 걸 보여주기라도 하려는 듯이.

어쩌면 내가 진지하게 했던 그 말을 부모님은 자신들을 위해서 해준 선의의 거짓말이라고 생각하실지도 모르겠다. 그러나 그것들은 분명한 진실이었고 한치의 가감조차도 없었다. 생각해보라. 어색한 지인, 그것도 나보다 훨씬 손위의 사람이 간단한 용건으로 잠시 방문하겠다는 말을 듣고는 나를 맞이하기 위해 며칠 전부터 분주하게 움직이는 모습을. 그리고 그 사람의 집에 도착하면 다 먹지도 못할 만큼 엄청난 양의 밥상이 오로지 나만을 위해 준비되어 있는 상황을 말이다. 그 누구라도 부담이 될 수밖에 없을 것이다. 때로는 어색해서 토할 것 같은 기분이 들 수도 있겠지. 그렇다고 정말 토한 적까지는 없었지만.

아, 어쩌면 부모님도 내가 부담스러운 손님이기에 그렇게 유난을 떨 수밖에 없었던 걸지도 모르겠다. 더욱이 부모와 자식 간의 관계를 조금이나마 회복해야 한다는 의무감과 앞서 언급했던 내용처럼 일부의 죄책감도 존재했을 테니까. 그걸 이해하지 못하는 건 아니지만 정말 나는 지금이 좋았다. 매일같이 바쁘게 살았던 부모님, 그래서 혼자 있을 수밖에 없었던 내 상황이 야속하게 느껴진 적도 없었다. 아주 어렸을 때야 그런 생각을 했을 수도 있겠지만 내가 기억할 수 있는 시점에서부터는 확실히 없었다. 정말로, 오히려 고마운 부분이 많다면 더 많았을 것이다. 부모님이 그렇게 열심히 일해주신 덕분에 나 또한 여유로운 경제 상황 속에서 유복하게 자라날 수 있었으니까. 내가 부모님께 아쉬웠던 건 그날 이후 행운의 실바니안을 보러 갈 수 있는 기회가 오지 않았다는 것, 그것뿐이다.

부모님과 함께 그 마트를 갈 일은 더 이상 없었다. 그렇다고 그 먼 거리를 연로한 할머니를 졸라 갈 수도 없는 노릇이었으니까. 내가 아직 어리다는 게 한스러울 따름이었다.

새로운 결심이 필요했다. 그렇게 손놓고 있을 수만은 없었던 탓이다. 아니, 그러기가 싫었다. 어른들은 '그저 앉아만 있는 자에게는 기회가 오지 않는다', '기회는 기다리는 것이 아니라 만들어가는 것이다'라고 하지 않았던가, 그러면서도

'더 큰 세상으로 나아가기 위해서는 알을 깨야 한다'고 했다. 나는 그런 가르침을 받들어 알을 깨고 더 큰 세상으로, 그렇게 기회를 쟁취하기 위한 결심을 했던 것이다. 버스 정류장의 안내판을 보고 정류장에 버스가 서는 족족 기사님께 노선을 물어보기도 하면서 겨우 버스에 올랐다. 버스에서는 그런 내가 귀엽다는 듯 '쪼끄만한 게 어디를 가느냐' 하는 질문을 받기도 했다. 그럴 때면 나는

"행운의 실바니안을 보러 가요."

하고 기쁜 마음으로 대답했었다. 물론 그런 어르신들이 행운의 실바니안이 뭔지 아실 리가 없었으나 허허 웃으며,

"고놈 참 야물딱지네."

하며 반응해주셨다.

이윽고 버스가 목적지에 도착했다. 워낙 큰 마트였어서 그런지 그 마트 이름으로 된 정류장이 있어 잘 내릴 수 있었다. 드디어 나를 감싸던 알의 껍데기가 조금씩 깨지고 있는 순간이었다. 버스에서 내린 나는 곧장 달리기 시작했다. 마트의 정문으로, 무빙워크 위를, 고대하던 행운의 실바니안을 향해서 말이다. 그리고 숨이 넘어가기 직전이라는 생각이 들 때쯤 그 앞에 서 있을 수 있었다. 오늘의 내가 그랬듯 그때의 나도 그랬던 거다. 다른 점이라면 그때의 나는 그들

의 품에 폭 안겼던 것 정도려나. 아니지, 그때도 그들과 나 사이에는 당시 내 가슴 높이까지 오던 울타리가 있었으니 안기지는 못했을 것이다. 다만 지금처럼 그를 쓰다듬어 봤던 것 같다. 그래, 처음에는 손을 잡아봤으리라. 그 부드러운 털결 속에서 내게는 없던 포근함과 온기를 느꼈을 것이다. 물론 집에 돌아가서는 말도 없이 혼자 먼 곳까지 나갔던 죄와 너무 늦게 돌아갔던 죄로 호되게 꾸지람을 들어야 했겠지만.

그래도 나는 굴하지 않았다. 그 또한 내가 깨야 할 알 껍데기 중 일부라고 생각했으니까. 그래서일까, 나는 더 자주, 그리고 더 오랜 시간을 행운의 실바니안과 함께 했다. 그 시절에는 행운의 실바니안 맞은편에 작은 벤치가 하나 있었는데, 내가 그곳에서 하도 죽치고 앉아 있으니까 없앤 게 아닐까 하는 생각이 들 정도로. 그예 결국 할머니께서도 날 혼내는 걸 포기하셨다.

"그래, 어린 것이 그런 낙이라도 있어야지."

하시면서 말이다. 할머니가 나를 혼내셨던 마음은 안다. 그 작은 아이가 그렇게 쏘다닐 만한 거리는 아니었으니까. 당연히 걱정이 되셨을 거다. 하지만 그게 어쩔 수 없는 일이었던 것도 부정할 수 없는 사실이다. 그는 함께하면 함께할 수록 더 좋아지는 친구였으니까. 내가 느끼지 못했던 포근함을 줬다. 내가 슬프거나 외로울 때면 손을 잡아 온기를 나눠주었다. 즐거운 이야기건 좋지 못한 이야기건, 심지어는 실없는 이야기일지라도 언제나 밝은 표정으로 내 이야기를 들어주었다. 지금 쉬고 있으니, 혹은 바쁘니 조금만 조용히 해달라는 부모님과는 다르게 말이다. 아무리 목석같은 사람이라도 어찌 그런 친구를 찾아가지 않을 수 있겠는가.

아차, 이렇게 얘기하면 혹여나 삐딱한 사고방식을 가진 사람들이 나를 가리켜 친구가 없다거나 대인기피, 심지어는 사회 부적응자 정도로 생각할지 모르겠다. 내가 하도 주접을 떨어놔서 그렇게 비칠 수도 있겠지만, 정말 그렇게 생각한다면 그건 나에 대한 성급한 판단이요, 잘못이다.

예전부터 우리집이 잘 사는 축에 들어서인지, 모나지 않은 외모나 성격 때문인지는 몰라도 그간 친구가 없기는커녕 적다는 생각조차 해본 적은 없었다. 내가 연락을 하면 연락처의 모든 이들까지는 아니더라도 곧바로 나와줄 수 있는 사람들이 적어도 한두 명쯤은 항상 있어 왔으니까. 그것도 사회생활을 하느라 바쁜 시간을 쪼개 가면서까지 소중한 자신의 몇 시간을, 밤을, 때로는 하루를 내게 내어준다. 심지어는 회사에 있던 한 친구가 내 연락을 받고 잠깐이나마 나와 시간을 보내주는 경우도 더러 있었다. 당연한 일이겠지만 내 연락을 기다리다 못해 먼저 나를 찾아주는 친구들도 많다. 좋은 점이라면 그들은 화려하게 꾸민 내 모습이든, 화장기 없이 흐트러진 모습이든 그저 좋아라 해준다는 점이다. 가끔 보여주는 그런 흐트러진 모습을 더욱 좋아해주는 친구도 있을 정도다. 게다가 동성 친구들 사이에서 그건 일종의 부러움의 대상이나 자랑거리가 되기도 한다. 조금만 놀아주면 자기들이 뭐라도 된다는 양 대뜸 찾아오지를 않나 요즘 연락이 잘 안된다며 관리하려 드는 모습에 금세 질려버리기 일쑤지만.

한번은 이런 일도 있었다. 몇 번 잠깐 놀아준 녀석이 오늘은 꼭 만나고 싶다며 연락 온 적이 있었다.

"뭐해?"

"중요한 일."

실제로 당시의 나는 그 무엇보다 중요한 일을 하고 있었다.

"퇴근한 거 알아, 오늘 한 번만 만나주면 안돼?"

나긋한 말투, 그 속에는 일종의 비굴함이나 애원 같은 것들이 깔려 있었다.

"안돼. 오늘은 바빠."

그날은 꽤 오랜만에 행운의 실바니안을 만나고 있던 날이었다. 때문에 이런 잡다한 녀석에게 내줄 만한 시간은 없었다. 나는 이미 행운의 실바니안으로 충만했고 외롭지 않았으니까. 구태여 그를 받아들일 필요가 없었던 거다.

"어차피 마트에서 실바니안 보고 있는 거잖아. 다른 거 안 바랄 테니까 그냥 옆에만 있어줘. 내가 그쪽으로 갈게."

 단호하게 거절했음에도 그 친구는 물러섬이 없었다. 당시의 나는 마지못해 그러라고 했다. 계속해서 성가신 연락을 주고받는 것보다 마네킹 하나를 세워두는 게 더 나았기 때문이다. 이어폰의 노이즈 캔슬링 기능을 활용하면 옆에 누가 있던들 물리적 공간을 넘어선 완전한 둘만의 세계에 있을 수 있었으니까.

 얼마 지나지 않아 그 친구는 도착했다. 벅찬 숨을 몰아쉬며 헐레벌떡 뛰어오는 그에게 나는 가볍게 손을 들어 인사를 해줬고 이내 다시 우리의 세계로 들어갔다. 그 또한 그런 나와 행운의 실바니안을 잠자코 바라보고 있었다. 그의 인내심은 얼마 가지 못했지만 말이다. 대략 한 시간 정도가 지났을까. 그는 내 어깨를 두드리며,

"너는 아무리 그래도 사람이 옆에 있는데 대꾸도 안 하고 이어폰만 꽂은 채 그러고 있냐."

조금 짜증스럽다는 목소리로 말했다. 기가 찼다. 내가 그를 불러냈던가. 나는 너에게 신경 써줄 시간이 없었음을 분명히 밝혔고, 그럼에도 본인 스스로가 한 공간에 같이 있어주기만 하면 된다며 굳이 나를 찾아 왔지 않았던가. 그리고 나는 이 물리적 공간 속에서 그의 그런 요청에 충실히 응해주고 있었다. 이제 와서 화를 내는 게 이해가 되지 않았다.

"그럼 가."

나 또한 한심하다는 듯, 신경질적으로 받아쳤다. 그러고는 다시 이어폰을 끼고 행운의 실바니안과 연결되기를 시도했다. 그는 멍한 표정으로 잠시 서 있다가 뭐라 소리를 친 뒤 씩씩거리며 뒤를 돌아 나갔다. 그가 무어라 떠들어댔는지는 알 수 없었다. 그저 그의 목소리를 실어 나른 진동만 조금 느껴졌을 뿐. 그렇게 한 번이라도 만나기 위해 저자세로 들어와 목을 매던 주제에 '친구'라는 이름 뒤에 숨겨둔 지저분한 목표를 이루지 못하니 역정을 내는 그 꼬락서니가 참으로 우스웠다.

그 뒤로는 그들에게 선택권이 없다는 걸, 오로지 내 선택에 따라오기만 하면 된다는 걸 확실히 각인시켰다. 그러면서도 조금이나마 질척거리려는 모양새가 보이면 단호하게 쳐냈다. 진정한 친구라면 그런 지저분한 목표 없이도 서로를 품어줄 수 있어야 한다고 생각한다. 행운의 실바니안처럼.

이때 잠시 휴대전화가 울린다. 친구다. 방금까지 얘기했던 그런 류의 이성 친구가 아닌 초등학생 때부터 직장인이 된 지금까지 함께 해왔던 동성 친구. 나는 잠시 휴대전화 액정에 나타난 친구의 이름을 보며 짧은 생각에 빠진다. 휴대전화를 쥔 오른손의 엄지손가락은 빨간색 버튼과 초록색 버튼의 한가운데서 어떻게든 균형을 유지해야만 하는 것처럼 잠깐씩 움찔거릴 뿐, 다른 움직임을 보이지는 않는다. 이윽고 전화기의 진동이 멎는다. 잠시 뒤,

「지금은 바쁜가 보네? 지금 애들 모여있어서 너도 시간 되면 오라구~」

하는 문자가 휴대전화의 미리 보기 팝업으로 짧게 올라왔다 사라지면서 짧은 진동이 한 번 더 울릴 뿐이다.

"오래전부터 친하게 지냈던 친구라며, 그런데 왜 안 받아?"

지금 이 순간 내 옆에 누군가가 있었다면 분명 그렇게 물었을 거다. 지금 그런 내 모습을 보는 여러분들이 그러하듯이. 그러고는

"혹시 나 때문인 거면 신경쓰지 말고 편하게 통화해도

돼."

하는 말을 덧붙였을 것이다. 지금 내 옆엔 그런 말을 해줄 사람도, 내가 신경을 써야 할 사람도 없지만 말이다. 내가 전화를 받지 않았던 건 — 여러분들에게는 전화를 받지 않은 것처럼 비쳤을지 몰라도 정확히는 받지 못했던 건 그 전화를 받아야 할지 말아야 할지 고민하던 찰나 전화가 끊어져 버린 탓이다. 진동이 한참을 울리다 끊어진 거니 그 긴 시간 동안, 아니 애초에 고민을 했다는 것 자체가 전화를 받을 생각이 없었다는 방증이겠지만.

그래, 구태여 변명하지는 않겠다. 그냥 귀찮았던 거다. 전화를 받는 게, 전화를 받고는 서로 반갑다는 듯이, 즐겁다는 듯이 인사를 나누는 게, 그리고 서로에 대한 칭찬으로부터 시작해서 용건, 끝인사에 이르는 그 과정이 너무 귀찮게 느껴졌다. 언제부터인가 필요한 용건만을 딱 말하고 끝내는 게 좋았다. 게다가 어차피 내용은 뻔했지 않은가. 문자 내용 그대로 지금 친구들이 모여 있으니 너도 오면 좋을 것 같다는 것. 그렇다면 또 그렇게 되묻겠지 — 다시 한 번 이야기하지만 어디까지나 지금 내 옆에 누군가가 있을 때의 이야기다.

"그게 왜? 친구들이랑 같이 시간 보내면 즐겁지 않아?"

당연히 만나면 즐거울 거다. 그 친구들이 싫었던 건 아니니까. 하지만 즐거운 만큼 피곤함이 따라올 것이라는 생각이 들었고, 때로는 그 즐거움보다 피곤함이 앞서는 경우에 대한 염려가 생기기도 했다. 그도 그럴 것이 우리는 이제 성인이다. 고작 헝겊 몇 오라기를 걸친 채 이 험한 세상에 그대로 내던져진 성인 말이다. 때도 묻을 만큼 묻었고, 상처도 입을 만큼 입은 성인. 만나서 이런저런 시답잖은 이야기를 나누며 깔깔대던 순수한 어린 시절은 모두 지났다는 뜻이다.

아무리 순수한 의도로, 그저 즐겁기 위해 만났다고 하지만 그 안에서 모종의 신경전이 생길 거라는 건 참으로 뻔한 이야기일 것이다. 그 또한 가장 먼저 반갑다는 인사와 서로에 대한 칭찬 혹은 관심을 표할 수 있는 말들로 물꼬를 트겠지. 그리고 서로의 근황을 물으며 자연스럽게 분위기를 숙성시킬 것이다. 화젯거리는 생각보다 금방 떨어질 것이고, 어색한 듯 어색하지 않게 식당 음식의 맛이나 카페의 인테리어, 음료의 맛 등에 대한 간단한 평가를 늘어놓을 것이다. 물론 그런 것들은 금방 고갈될 게 뻔하다. 그래도 걱정할 건 없다. 그들에게 있어서 지금까지의 회젯거리는 '메인메뉴'가 아니라 메인메뉴를 꺼내기 위한 '애피타이저'일 뿐이었을 테니까. 메인메뉴는 잠깐의 정적 뒤, 누군가의 은근한 자기 자랑 혹은 푸념으로부터 시작된다. 그리고 나머지 친구들은 그의 자기 자랑 혹은 푸념에 열심히 맞장구를 치는 것으로 말이다. 그 친구의 자랑 혹은 푸념이 끝나면 다음 친구에게 자랑 혹은 푸념을 늘어놓을 수 있는 발언권이 넘어간다. 마치 고급 중국음식점의 레이지수잔[1]을 돌려가며 그 위에 놓인 음식들을 각자의 차례에 맞춰 집어가는 것처럼. 그렇기에 그에 대한 맞장구도 진심에서 우러나오는 맞장구가 맞는지 의심해볼 필요가 있다. 다음 차례를 기다리는 사람이 음식을 집어가고 있는 사람에게

"양껏 많이 드세요."

하고 친절한 말투로 말을 건네지만 실은 그 뒤에 혹시 자기가 집어갈 수 있는 음식이 남아 있을까, 하고 걱정하는 속내를 숨기고 있을지도 모를 일이니까. 그래서일까. 성인이 된 이후로, 특히 직장인이 된 이후부터는 친구들을 만나도 위로를 받는다거나 나 자신이 가득 채워진다거나 하는 느낌을 받지 못했던 것 같다. 푸념을 늘어놓을 때면 다른 친구들보다 자기가 무조건 더 많은 위로를 받아야 한다는 생각

---

[1] Lazy-Susan, 원형 테이블 위에 목재나 유리 등으로 만들어 올린 회전식 테이블.

이, 자기 자랑을 늘어놓을 때면 무조건 자기가 더 많이 자랑해야 하고, 다른 친구에게는 더 많은 상대적 박탈감을 느끼게 해야만 한다는 생각이 전제된 탓일 것이다. 나도, 그리고 친구들도.

여차하면 보이지 않는 알력들의 투기장에서 한발 물러나 그들의 팽팽한 줄다리기를 감상하며 손뼉이나 몇 번 쳐주고 말 수도 있긴 하다. 허나 그건 썩 유쾌한 일은 아니다. 전혀 부러울 만한 게 없는 걸 보면서 부러운 척 이야기를 해주는 거나 별것도 아닌 일에 다 괜찮아질 거라느니, 상대방이 잘못했다느니 하면서 텅 빈 위로를 던지는 것도 적잖이 소모적인 일이니까. 더욱이 그렇게 멀찍이 떨어져 고개만 끄덕거리고 있노라면 그들과 나란히 자리하고 있는 나일지라도 언제 그들의 먹잇감으로 전락할지 모를 일이다. 나도 힘든 마당에 굳이 내 돈과 시간을 써가며 가득 찬 위기의식 속에서 팽팽한 줄다리기를 해야 하는지 회의가 들었다. 차라리 그럴 거면 아주 멀찍이, 그들이 보이지 않을 정도로 먼 거리에서 적당한 간격을 유지하며 서 있는 것이 나았다.

문자가 온 지 대략 20분 정도가 지난 지금이 딱 적당한 간격인 듯했다. 이제야 비로소 문자를 확인하고 나 또한

「미안해 운전 중이어서 못 받았어...요즘 들어 회사일이 좀

바쁘네ㄲㅠ」

와 같은 답장을 남겨주면 굳이 그 대치상황 속에서 언제 칼을 빼 들어야 할지, 또 상대의 공격을 어떻게 흘리고 반격해야 할지 고민할 필요도 없을 것이다. 그러면서도

「나도 갈 수 있었다면 좋았을 텐데...너무 아쉽다ㄲㅠ 다음에는 꼭 다 같이 보자!!」

같은 문자로 마무리해주면 모든 게 완벽히 맺어진다.

나는 나대로 적당한 알리바이를 이해받음과 동시에 불필요한 소모전에 참전하지 않아도 된다. 한편으로는 나를 찾아주는 친구들이 있다는 점에서 소속감이나 안정감 같은 것들도 필요한 만큼 느낄 수 있었다. 친구들은 또 그들 나름대로 기분이 상하지 않았을 테며, 바쁜 친구인 건 알지만 그런 친구까지도 챙기는 섬세한 사람이 되어주었다는 자긍심 같은 것도 고취될 수 있었을 거다. 어쩌면 발언권을 가진 한 명의 적이 사라짐으로써 자신이 발언할 수 있는 기회가 늘어났음에 내심 기뻐하고 있을지도 모른다.

아, 이것이야 말로 윈-윈, 좋은 게 좋은 것. 진정 서로를 위하는 관계가 아니겠는가. 차라리 앞에서 가식 떨며 서로를 띄워주는 관계보다 훨씬 더 끈끈하고 진정성 있는 관계임에 분명하다.

'하지만 친구에게 거짓말을 했는데, 그게 과연 진정성 있는 관계라고 볼 수 있을까?'

그렇게 묻지 마라. 의미 없는 물음이다. 내가 한 거짓말에는 일말의 악의조차 없는 순수한 선의의 거짓말이요, 그것은 필요악이 아닌가. 필요악이란 본디 없을 수 없는 존재다. 그래, 그게 이 세상의 이치다. 또한 내가 선의의 거짓말로써 필요악을 행했다고 한들 부정적인 결과를 초래하지는 않았다. 되려 좋은 방향으로 문제가 해결되었지. 그런 점에서 '인간의 행위가 정당성을 얻고자 한다면 그 행위는 인간에게 이로워야 한다'는 윤리적 규범마저도 충실히 지켜내고 있는 것이다.

아무튼 지금 상황에서 중요한 건 내 행동에 대한 시비를 가리는 문제가 아니다. 함께 있으면 숨이 막히고 온갖 땀샘이 열려 축축해져 가는 게 느껴질 정도로 어색하기만 한 가족들이나, 함께 모여 시끌벅적하게 놀아봐야 종래에는 공허와 외로움만이 남는 친구들보다야 행운의 실바니안을 찾아가는 게 훨씬 더 현명한 선택이라는 게 핵심이다.

그와 함께 있으면 어색함을 신경쓰며 삐질삐질 땀을 흘리고 있을 필요도, 괜한 일들로 기를 빨릴 필요도 없다. 그는 별것도 아닌 일을 거대하게 부풀려 푸념으로 늘어놓지 않을 테니까. 자신의 이야기를 조금이나마 더 입 밖에 내고자 신경전을 벌이거나 주위에 눈치를 주는 일도 없으며, 자기 자랑을 해대며 어떻게든 주변 사람들에게 상대적 박탈감을 주어 자신의 자존감을 채우려는 모습도 없으니까 말이다.

행운의 실바니안은 그저 진득하게 내 이야기를 들어준다. 그 어떤 실없는 이야기를 해도 싫증을 내거나 어이가 없다는 듯 비웃지도 않는다. 그저 모든 가족 구성원들이 하나의 공동체가 되어 웃고 있을 뿐이다. 그 큰 귀를 쫑긋 세우고는 단란하게.

그들을 마주하고 있을 때면 나 또한 그 화목한 가정의 구성원이자 그들의 둘도 없는 친구가 된 기분이다. 그들이 내 푸념이나 고민을 들었다고 해서 특별한 말이나 조언 따위를 해주는 건 아니다. 하지만 묵묵히 들어주는 것, 그리고 미소 지어주는 것, 함께 해주는 것, 그 자체만으로도 큰 위로가 되어준다. 더는 혼자이지 않아도 된다는 위로. 공허하게 말로만 행하는 가식이 아닌, 말 한마디 없어도 진정으로 나를 채워주는 그런 위로가 말이다.

다만 한 가지 걱정스러운 부분이라면 몇 시간 동안이나 인형 앞에 서 있으면서 무어라고 주절거리는 나를 보고는 미친 사람이라 생각해 경찰에 신고하지는 않을까 하는 것이다. 물론 지금까지 그런 걸로 문제가 생긴 적은 없었지만 괜스레 신경이 쓰이는 건 어쩔 수 없는 일이었다. 더욱이 인형 앞에 서 있는 나를 흘긋거리며 훑어보고 지나가는 사람들도 더러 있었고, 간혹 오지랖이 넓은 점원 아주머니께서

"그 인형이 그렇게 좋아요? 자주 보러 오시네."

하며 말을 건네는 경우도 있긴 했으니까. 훑어보고 지나가는 사람들은 몰라도 점원 아주머니의 그런 말이 악의가 없었다는 건 안다. 그런 표정과 말투에 어떤 불순한 요소가 들어갈 자리는 없었겠지. 그저 별생각 없이 아주머니들 특유의 오지랖이 발동하는 것뿐이리라. 다만 그런 말에 어떤 대답을 하기에도 애매하고 내 모습이나 행동 패턴들이 타인의 눈에 인지되었다는 게 조금은 민망스러울 따름이다. 그럴 때면

"아…네…뭐…."

하며 어정쩡하게 허리를 삼분의 일쯤 굽히고 머쓱하게 웃으며 얼버무릴 수밖에 없다.

그래서 떠올린 생각, 한 손에는 휴대전화를, 귀에는 무선이어폰을 꽂고 있는 것이다. 그렇다면 혼자 아무리 주절거려도 통화를 하고 있겠거니 하겠지. 불쾌한 시선으로 훑으며

지나가는 사람도 많이 줄어들 것이다. 점원 아주머니들의 오지랖이 가득 서린 말에도 일일이 반응해줄 필요도 없다. 이어폰을 꽂아서 다른 사람의 말을 듣지 못하는 경우는 빈번히 있는 일이니까. 설령 그게 실례되는 행동이라 할지라도 통화 중인 사람을 군이 불러세워 실없는 말을 하는 게 오히려 실례임이 분명하다.

또 한 가지 더. 바로 노이즈 캔슬링. 마트 곳곳에 퍼져있는 조잡한 잡음들을 완벽히 차단해주는 기능. 그렇게 온전히 행운의 실바니안과 연결될 수 있게 해주는 것. 다른 무엇보다 그게 가장 마음에 들었다.

외부와의 차단, 그로써 성사된 온전한 유대. 이 역설적인 상황 속에서 나는 비로소 완벽한 평화를 느낄 수 있었다. 어쩌면 모순덩어리인 이 세상 속에선 뒤틀린 것들만이 온전히 작용할 수 있는 걸지도 모르겠다

회색도시 4번가 97번지

불   발   탄

기계의 모터가 돌아가는 소리, 규칙적인 듯 미묘하게 불규칙한 쇳소리들이 고막을 타고 들어와 달팽이관을 자극한다. 라인의 무수한 기계들과 용광로로부터 나오는 열기 때문인지 꽤 후덥지근한 느낌이 든다. 라인에서는 컨베이어 벨트를 타고 쇳덩이들이 오간다. 그리고 그것들은 몇 개의 공정을 거치자 이내 시뻘겋게 달아올라 조금 더 작은 덩어리로 쪼개진다. 이들은 한쪽 라인에서는 긴 원통 모양으로, 그리고 다른 한쪽 라인에서는 날렵한 유선형의 모양으로 성형될 것이다. 그렇게 되면 원래는 한 몸이었던 둘은 잠시간은 다른 길을 걷게 되겠지. 마치 태고의 시절, 반쪽으로 갈라진 인간이 나머지 반쪽을 찾기 위해 긴 여정을 거쳤던 것처럼 말이다.

　우선 원통 모양으로 성형된 쪽은 원통의 입구를 통해 당장이라도 터질 것 같은 검은 화약을 채우고 다른 한쪽의 크기에 맞게 입구를 조인다. 한편 날렵한, 그러면서도 아름다운 유선형의 다른 한쪽은 원통형을 지닌 한쪽의 준비가 모두 끝날 때까지 기다리다 그의 안쪽으로 맞춰 들어간다. 그렇게 그들은 너무 크거나 무겁지도 않은, 그러면서도 그리 약하지도 않은 딱 적당한 5.56X45mm의 황금빛 몸체를 가진 온전한 하나가 된다.

 이제는 더 이상 숨 막힐 정도로 후덥지근한 그 라인을 지킬 필요가 없어졌다. 하나가 된 그들은 다시 컨베이어 벨트를 타고 다음 공정으로 이동한다. 그곳에서는 그들과 마찬가지로 새롭게 한몸이 된 다른 이들과 함께 작은 종이 상자, 비닐 포장, 철로 된 탄통, 마지막으로 나무로 된 탄약 상자에 견고하게 포장된 뒤, 차에 올려졌다. 차량은 달렸다. 탄약지원사령부로, 다시 탄약창 또는 예하의 실무부대들로.

 이동을 마친 탄약들은 각 부대의 탄약고에 차곡차곡 적재되었을 것이다. 운이 좋은 녀석들은 예하의 부대로 이동한 지 얼마 되지 않은 이 시점에도 벌써 포장이 벗겨져 각종 훈련이나 작전을 위해 정비되고 있을지도 모를 일이다. 다만 한 가지 확실한 건 적재된 녀석들이든 이미 투입을 위해 준비 중인 녀석들이든 목표물을 정확히 관통하겠다는 자신의 숙명을 이루고자 가슴이 끓어오르리라는 점이다.

그리고 여기 있는 그 또한 5.56mm의 탄환과 마찬가지로 적절한 가공 공정인 '교육'을 거쳐 현재는 사회도 학교도 아닌 그 사이의 어떤 애매한 공간에 적재된 상태다. 이제 막 사회로 배출된 여느 청년들과 같이 말이다. 물론 그가 '남들과 같다'는 말을 듣는다면 조금은 자존심이 상할지도 모른다. 그의 경우 해외에서 유학을 하거나 초일류 대학교를 졸업한 것까지는 아니지만 이름을 들었을 때, 그 사람에 대한 인식을 바꿔줄 수 있을 정도의 명문 대학교를 졸업한 건 사실이니까. 그리고 그것은 그에게 일종의 프라이드로서 기능하고 있는 부분이니까.

당연한 일이겠지만 그의 가슴 한켠에도 괜찮은 기업에 입사해 유능한 편에 속하는 자신의 역량을 함뿍 발휘하고 싶다는 욕망이 휘몰아치는 중이다. 물론 그것은 사회나 기업에 이바지하겠다는 거창한 포부는 아닐 것이다. 말하자면 인정욕구겠지. 남들보다 잘살고 있다, 혹은 앞서가고 있다는 우월감. 그리고 부러움의 시선 같은 것들 말이다. 조금 속물적이고 소시민적이면 뭐 어떤가. 그게 인간인 것을. 무엇보다 원래 그 나이대에는 목에 걸린 사원증과 왼손에 들린 스타벅스 종이컵이 선망의 대상이 되는 법이다.

그는 대체로 우리의 주변에서 익숙하게 볼 수 있는 로고의 주인된 기업들을 위주로 이력서를 넣었다. 물론 안전장치가 되어줄 중견기업들도 한두 개 정도 지원 리스트에 넣어두기는 했다. 대기업은 한두 번 만에 합격하기에는 무리가 있을지 몰라도 중견기업 정도는 아무리 대기업에 버금갈 정도의 규모라고 해도 무난하게 합격할 수 있을 거란 생각에서였다. 완벽한 계획과 준비상태, 모든 게 그의 손안에 들어있는 듯했다. 한 가지 문제가 있었다면 우리가 아는 사회는 이제 막 발을 내디딘 초년생들이 생각하는 것처럼 마냥 호락호락하지만은 않다는 것이다.

적어도 그 스스로는 지금의 상황을 믿기 어렵겠지만 취업전선에 뛰어든 첫 번째 전투에서 단 한 번의 승리, 혹은 유의미한 성과마저도 내지 못했다. 합격률 0%, 심지어 적지 않은 수의 대기업에서는 그를 면접에조차 불러주지 않았고 면접장까지 갔다 하더라도 그의 쓸모를 알아보는 곳은 없었다.

한두 번, 몇 개월쯤은 그저 준비가 덜 됐거니, 아직 경험과 노하우가 부족했던 탓이겠거니 했다. 다만 지구가 몇 차례나 자신의 궤도를 꿋꿋하게 돌아나갔을 때, 그는 비로소 깨달을 수 있었다. 지금껏 밟아가던 길은 자신의 궤도가 아니었다는 것을.

그의 궤도는 처음 생각했던 것보다 조금 더 아래에 있었다. 대기업이나 중견기업 같은 것들이 아닌 그보다 조금 더 낮은 곳. 씁쓸하긴 했지만 자신의 숫자 앞자리가 바뀌기 직전이었던 그에게 있어 다른 선택의 여지는 없었다. 여태까지 도전하고, 준비하고, 또다시 도전해봤는데 성과가 없었다면 그건 자신의 길이 아닌 것이다. 그렇게 생각해야만 했다.

그의 주변인들은 이미 어느 정도 자리를 잡아가고 있는 상황이다. 직장에서도, 사회에서도 말이다. 누구는 결혼을 했고, 또 다른 누구는 벌써 집을 샀단다. 누구보다 앞서가리라, 선봉장까지는 아니더라도 선발대의 일원이 되기를 바랐던 그였지만 이제는 중간, 어쩌면 그보다 더 뒤에서 출발한 꼴이 됐다. 이제는 대기업 사원증이 아니라는 것에 대한 조바심보다는 아직 출발조차 하지 못했다는 조바심이 그를 더욱 옥죄었다. 이미 어른이 되었다 할지라도 겨우 사회로 도약하기 위해 발구름을 하고 있을 뿐인 그가 그런 중압감과 조바심을 떨쳐내기란 쉬운 일이 아니었다.

다행히 그해 봄, 그는 자신의 궤도에 올라 취업전선을 뚫기는 했다. 당초 그가 원했던 대기업은 아니었지만 말이다. 본래 1지망으로 생각하던 기업에 하청을 주는 중견 내지는 중소 규모라고 할 만한 업체의 사무직원으로 들어가게 된 것이다.

 어둡고 습내 나던 곳에 드디어 빛이 들어온다. 이윽고 전투복을 입은 간부 한 명과 병사 한 명이 들어와 준비되어 있던 탄통을 집어 든다. 탄통은 탄약고 밖에서 곧바로 중사 계급장을 단 단독군장 상태의 간부에게 인계된다. 연병장에서는 병사들이 단독군장 차림으로 사격술 예비훈련을 하고 있는 것으로 볼 때, 사격 훈련이 있는 모양이었다. 그렇다면 탄을 인계받은 그는 아마 탄약 수불 간부겠지.

 아무렴 지금 그런 것들이 뭐가 중요하겠는가. 정말 중요한 것은 탄을 인계받은 중사가 사격 통제관으로 임명된 몇몇 간부들과 함께 이미 언덕배기의 사격장으로 향했다는 것이다. 아마도 지금쯤 탄약 수불대에서 탄통을 열어 탄을 깔기 시작했을 것이다. 맞다. 5.56mm의 탄들이 탄약고의 습내를 견디며 기다려온 순간이 이제 막 시작되려는 거다.

 탄들은 장탄기에 꽂혀 차례대로 탄알집 속으로 들어간다. 그동안의 기다림이 무색할 정도로 짧은 시간 만이다. 아마 그들에게도 자아가 있다면 첫 전투 임무에 투입되는 공수부대원들처럼 기대와 긴장이 섞인 오묘한 감정을 느끼고 있을

지도 모를 일이다.

"사수 입장!"

"1사로! 2사로! 3사로!……"

사수들이 총기와 탄약을 들고 자신의 사로로 들어간다. 중앙통제관은 그런 사수들의 모습을 살피며 적절한 타이밍에 다음 절차를 명령한다. 사수들은 적절한 긴장 속에서 통제관의 지시사항을 착실히 이행한다. 이제 탄알집이 결합되었다.

"노리쇠 전진, 조정간 단발."

사수들은 중앙통제관의 명령을 복창하며 노리쇠 멈치를 눌러 노리쇠를 전진시키고는 곧바로 총을 파지한 손의 엄지손가락으로 조정간을 움직인다. 총구는 착실히 표적을 향하고 있다. 약실에 탄이 들어가는 소리가 묘한 기대감을 불러일으키는 듯했다. 지금까지의 과정이 어찌 됐든 이제부터가 진짜 시작이다. 그 누구보다 빠르게 날아가 목표를 정확히 관통하리라.

처음 생각했던 월 500 이상인 고액 연봉까지는 아니었지만, 초봉 3,600 정도로 다른 중소기업에 비하면 꽤 나쁘지 않은 액수다. 복지도 웬만한 대기업 못지않게 좋은 편이다.

우선 가장 마음에 들었던 건 휴일이 많다는 것. 명절, 공휴일은 물론이고 징검다리 휴일일 경우 중간에 애매하게 출근하는 게 아닌 휴일의 처음부터 끝까지 내리 쉰단다. 그뿐인가 회사 창립 기념일, 심지어 회사 대표의 생일에도 휴무가 주어진다고 하니 매력적이지 않을 수가 없었다.

식사도 구내식당을 무료로 이용할 수 있었다. 호텔 조리사 출신 주방장의 손맛은 말할 것도 없다더라. 참, 탕비실에 상시 구비된 간식을 언제나 먹을 수 있다는 점도 꽤나 큰 매력 요소다. 그의 사수가 된 직원의 말에 따르면 생각 없이 간식을 주워먹게 되어 입사한 뒤 살이 엄청 불었다는 것이다. 그러면서 그게 단점이라면 단점일 수 있다고 언급하는 것 또한 잊지 않았다.

그의 사수는 얼마 전 대리로 승진한 삼십 대 초반의 남직원인데, 이미 그만큼의 회사 자랑을 늘어놓았음에도 불구하고 여전히 끝낼 기미를 보이지 않았다. 회사 업무상 대기업 임직원들과 마주할 기회가 많다는 것, 그래서 기회를 잘 살린다면 그쪽 기업으로 스카웃 될 수도 있다는 것, 실제로 자기의 선임들 중 상당수가 그렇게 이직을 했다는 걸 한참이나 늘어놓았다.

"대리님께서도 이직 제의를 받으셨나요?"

사수의 회사 자랑을 한참이나 듣고 있던 그가 사수에게 첫 번째 질문을 던졌다.

"에이, 나는 아직 그럴 짬이 아니죠. 기껏해야 1년 조금 더 다녔는데요 뭐."

사수는 소탈하게 웃으며 대답했다. 이에 그가 그런 기회가 오면 이직할 거냐 질문을 하자 사수는 잠시 생각하더니

"물론 대기업 이직도 나쁘지는 않은데 나는 안주하는 성격이라서요. 게다가 여기는 승진도 빠른 편이고 연봉 상승률도 나쁘지 않은 편이라 아마 남아 있지 않을까요?"

하고 대답했다. 그러고는

"다만 이직 제의가 들어왔다는 점을 연봉협상에서 써먹을 수는 있겠죠."

하고 덧붙였다. 그는

"아, 그렇군요."

하고 짧게 대답한 뒤, 이어지는 사수의 회사 자랑을 들으며 계속해서 회사 전반에 대한 안내와 업무 인수인계를 받았다. 다행히 업무 내용도 그리 어렵지는 않았다. 원청업체의 주문을 수주하여 제품을 출고하는 게 그의 주된 업무였고 부가적인 업무라고 해 봐야 중심 업무에서 파생되어 나오는 서류 업무 몇 가지가 고작이었다. 예컨대 결의서를 올

린다거나 납품, 재고 현황을 엑셀에 기입하는 것 정도다.

"특별한 경우가 아니면 오히려 일이 없어서 한가하다고 느껴질 수도 있을 거예요. 그럴 땐 주변 분들 업무를 좀 도와준다면 점수 따기에 좋겠죠?"

사수의 말에 알게 모르게 굳어 있던 그의 마음이 조금은 놓이는 듯했다. 처음이니까. 자신에 대한 프라이드와 자신감이 넘치는 그라 할지라도 처음이라는 건 뭐든 긴장되는 법이니까.

"네, 열심히 하겠습니다."

긴장이 풀리면서 옥죄였던 약간의 자신감이 새어 나온 듯 그의 목소리가 한층 밝고 가벼워졌다.

"사격 개시!"

사격장의 확성기를 통해 중앙통제관의 사격 개시 명령이 떨어졌다. 돌격사격 자세를 취하고 있던 사수들은 개머리판을 어깨에 견착하고는 잘 정렬된 가늠자와 가늠쇠를 통해 표적을 꿰뚫는다. 검지 손가락의 첫 번째 마디를 방아쇠에 슬쩍 올려놓고 천천히 당겨온다.

'탕'

첫 번째 총성이 울리며 모르는 사이 오른쪽 어깨가 뒤로 밀렸다 돌아온다. 물론 사수는 자신이 쏜 탄이 표적을 정확히 관통했는지, 만약 관통했다면 표적의 어느 부분을 관통한 것인지 따위는 알 수가 없다. 탄의 시간에 비해 사수의 시간은 너무나도 느리기 때문이다.

 물론 탄이 격발되면서 일으킨 미시세계의 작용은 짧지만 강렬한 총성과 반동, 작지만 분명한 탄흔, 그리고 약간의 화약 냄새 정도로 사수의 거시세계에 영향을 미친다는 것만큼은 분명하게 알 수 있다. 다만 무엇하나 바뀌지 않은 그 몇 초의 짧은 작용, 그뿐이다. 5.56mm의 미시세계는 대략 175cm나 되는 거시세계를 바꿀 수 있을 정도의 영향력을 행사하기에는 공간적 측면에서도 너무 작기만 한 존재니까. 그 폭발적인 강렬함이 사수에게 직접적인 충격을 가하는 것, 그래서 시간 속에서 살아가는 그에게 그러한 충격으로부터 촉발된 지속적인 작용을 이끌어오는 것이 아니라면 말이다.

 그래서인지 사수는 한 발씩 격발할 때마다 총신에서 고개를 들어 미간을 찌푸리고는 표적을 바라본다. 이후 고개를 갸우뚱한 뒤 다시 총신에 얼굴을 붙여 조준선을 통해 표적을 조준한다. 표적에 남은 탄흔이 보이지 않더라도 직감적으로 무언가가 잘 풀리고 있지 않음을 느낀 모양이다. 그게 자세 같은 기본기적인 측면에서든 그저 사수의 느낌적인 부분이 됐든 간에 말이다.

　그의 사무실에도 아침이 밝았다. 현재 시각 8시 30분이 조금 더 지난 상황이다. 이 회사의 출근 시각은 9시이긴 하지만 이미 비즈니스를 위한 열기로 분주했다. 약간은 구시대적이라고 할 수 있는 문화가 남아 있는 탓이다. 그 또한 출근 시각에 비해 10분 정도 일찍 출근을 했다. 신출내기로서의 열정과 눈치의 산물이었다.

　이제 막 회사 건물에 도착한 그는 엘리베이터에 올라 자신의 사무실이 있는 층보다 한 층 위의 버튼을 눌렀다. 그곳에는 그가 속한 팀을 담당하는 임원의 집무실이 있었다. 엘리베이터의 문이 열리자 갓 내린 커피의 달큰한 향이 가득 풍겨왔다. 그는 드리퍼에 물을 따르고 있던 비서에게 허리를 숙여 인사를 했다. 비서는 가벼운 목례로 인사를 받은 후 드립포트를 잠시 내려두고는 임원실 문을 두어 번 두드렸다.

　"들어와."

　잠시 후 문 안쪽에서 건조한 목소리가 들려왔다. 이에 비서는 가볍게 문을 열고는 그에게 들어가라는 듯 손짓했다.

그는 조금은 굳은 표정에 애써 웃음기를 입히고 임원실 안으로 들어가 허리를 숙였다.

"안녕하십니까."

간결하지만 당찬 목소리, 약간 떨리는 듯하긴 했으나 다행스럽게도 타인이 눈치를 챌 정도는 아니었다. 한창 컴퓨터를 두드리던 임원은 모니터 위로 눈을 들어 한껏 굳어 있는 그를 흘긋 보고는 다시 눈을 모니터에 두며 입을 열었다.

"이번에 새로 들어온 인턴인가?"

"예, 그렇습니다."

그는 더 이상 목소리가 떨리지 않도록 힘과 성량을 적절히 조절하여 대답했다.

"그래, 출근도 늦지 않고 잘하는군. 마음에 드네."

임원은 다소 건조한 목소리로 상투적인 대답을 했다.

"감사합니다."

"나도 자네처럼 평사원으로 시작해서 이 자리까지 올랐으니 자네도 충분히 잘해나갈 수 있을 걸세. 앞으로도 꾸준히 잘해서 돈도 많이 벌어 가고 그러게나."

"열심히 하겠습니다."

"그래, 나가봐."

임원은 다시 한번 모니터 위로 눈을 들어 그를 흘긋 본

후 말했다. 이에 그는 허리를 숙여 인사를 한 뒤 가볍게 문을 열고 나갔다. 그는 다시 엘리베이터를 눌러 자신의 사무실이 있는 층에 내렸다. 물론 그곳에서도 인사는 계속됐다. 막내의 신분으로서 보는 사람마다 인사를 드려야 하니 그 또한 일이라면 일이었다.

9시가 살짝 넘으려는 찰나 그는 비로소 자신의 자리에 앉을 수 있었다. 짧게 호흡을 뱉어내 스스로를 가다듬고는 본격적인 업무 준비를 시작한다. 오늘부터는 그가 인수인계 받은 내용에 대한 실무를 담당하게 된다.

그는 메일과 온라인 스토어를 들어가 지난밤 들어온 주문, 환불 내역 등을 확인하고 착실히 업무를 처리해 나간다. 견적 요청 건에 대해서는 이미 수식이 짜여진 파일에 제품명, 단가, 수량 정도만 입력하여 회신을 보내기만 하면 된다. 주문 건은 처리가 더욱 간단하다. 전산상에 원청업체의 주소와 제품, 수량만 입력하여 주문서를 작성하고 창고 쪽에 전달하기만 하면 되니까. 재고 관리는 주문 시 품절 여부에 대해서만 파악하고 공장 측에 사전 발주만 하면 될 일이니 딱히 어려울 게 없다. 조금 까다로운 건 환불 건을 처리하는 일이다. 그중에서도 원청업체가 아닌 일반 소비자가 신청한 환불 건은 더욱 그러하다. 우선 택배사에 상품 수거

요청을 한 뒤, 상품이 수거되면 지출결의서를 작성해 결재를 받아야 하니 말이다. 더욱이 지출결의의 경우 오로지 서면으로만 결재가 이루어져 결재를 받는 것도 상당히 껄끄러운 일이 아닐 수 없다.

아무리 그래도 그의 본래 임무는 10시께가 되면 어느 정도 끝을 본다. 하지만 진정한 혼란은 그때부터 시작된다. 아무 일도 하지 않고 멀뚱멀뚱 있기에는 상당히 눈치가 보이고 시간을 죽이는 것도 적잖게 힘든 일이었던 것이다. 업무 인수인계 기간 중 그의 사수인 대리가 말했던 것처럼 주변 사람들의 일이라도 도와주고자

"대리님, 혹시 도와드릴 만한 일이 있을까요?"

라고 물어봐도 별 효과는 없다.

"아뇨, 없어요."

정도의 대답만 돌아올 뿐이다. 같은 질문을 과장급이나 팀장급에게 가져가도 돌아오는 답은 똑같았다.

"없어."

조금 더 신경을 써준다 싶으면

"할 게 없으면 업무 관련된 매뉴얼이라도 공부하고 숙지해. 원래 인턴은 그러는 거야."

정도의 말을 덧붙일 뿐이다. 당장에는 말이다.

그로부터 한 달 정도가 지나면 이야기는 완전히 달라진다.

"이봐, 이거 오늘 오전까지 끝내야 하는 거니까 빨리 좀 처리해."

라는 말과 함께 그들로부터 각종 서류들이 밀려들기 시작한다. 본래 그가 처리하던 업무는 아니다. 계약서상에 명기된 담당 업무는 더더욱 아니다. 다만 그렇다고 해서

"이건 제 업무가 아닙니다."

라며 딱 잘라 말할 수는 없다. 그에게도 그 정도 눈치는 있으니까. 할 수 있는 일이라고는 그저 알겠다고 대답한 후, 자신의 업무를 미뤄둔 채 추가로 받은 업무를 처리하는 것뿐이다. 간혹 그 업무를 어떻게 처리해야 할지 전혀 모를 경우에만

"대리님(혹은 과장님), 죄송하지만 이 업무는 어떻게 처리해야 하는 건지 알려주실 수 있으십니까?"

하고 물어볼 뿐이다.

"너는 아직 이런 것도 혼자 못해? 내가 그걸 일일이 가르쳐야겠어? 답답하다, 답답해."

정도의 말이 돌아올 게 뻔하지만…… 업무는 원래 직접 부딪혀보며 익히는 거라는 게 그들의 논리다.

전화벨이 울리는 것 또한 언제부터인가 그의 업무로 편입

되었다. 불과 몇 주 전까지만 해도 다들 전화를 나눠서 받아줬던 것 같은데 말이다. 심지어 팀장의 경우에는 아예 자기 자리에서 전화기를 치워버렸다. 눈치가 빠른 몇몇은 이미 예상했을 수도 있겠지만 그들이 다른 무수한 업무들로 인해 바빠졌기 때문에 그의 업무는 분담해주지 못한다는 안타까운 사연 따위는 이곳에 없다. 사실 그러는 데 어떤 이유가 필요하겠는가. 굳이 변명을 해보자면 그게 그 회사의 문화인 것이다.

 더욱 가슴 아픈 것은 그에게 주어진 업무가 고작 인턴 한 명이 처리하기에는 과중한 양이라는 점이다. 한순간도 집중력을 잃지 않는다면 밀려드는 전화와 각종 업무들쯤은 어찌저찌 처리할 수 있을지는 모르겠다. 아무리 그렇다고 한들 체크리스트에 적힌 본인의 본래 업무에 삭선을 그을 수는 없을 테니 그게 다 무슨 소용이겠는가.

 한편 그것은 그가 생각지도 못한 나비효과를 일으키게 되었다. 때는 퇴근을 할 때다. 부랴부랴 일을 마친 그가 정성스럽게 업무일지를 작성해 팀장에게 결재를 받으러 갔을 때다.

 "이것들은 네 업무가 아닌데 업무일지에 적었네? 도와준 거지 네 업무를 처리한 건 아니잖아. 다시 써 와."

같은 팀장의 핀잔을 듣는 것으로 말이다. 심지어 팀장의 말은 고작 그 정도로 끝나지도 않을 것이다. 억울함을 누르며 뒤돌아가는 그를 불러세운 다음

"그나저나 집에 가려고? 업무도 안 끝냈는데 퇴근하는 건 무책임한 거 아닌가. 그래, 업무에 미숙할 수 있지. 그래서 못 끝낼 수도 있어. 아직 인턴이니까. 그런데 네가 미숙해서 업무처리를 다 하지 못한 거라면 남아서 마무리하고 갈 생각 정도는 해야 하는 거야."

라고 덧붙이겠지. 그렇게 그의 퇴근 시간은 18시가 아닌 20시, 혹은 그 이후로 잠정 정해져버린 듯하다. 초과근무 수당을 바라기도 어렵다. 인턴에게는 초과 수당을 지급하지 않는다는 게 회사의 방침이기 때문이다. 사실 인턴 기간에는 급여의 70%만 지급한다는 회사에 무얼 얼마나 바랄 수 있을까. 뭐, 그래. 그들의 입장도 있긴 하겠지. 원청업체에서는 어떻게든 제품의 가격을 후려치려고 혈안이 되어 있고 일부 임원들은 회사의 돈을 야금야금 횡령한다는 소문이 암암리에 돌고 있는 그런 회사니……

그 다음의 이유로는 역시 상사들의 압박도 무시할 수 없었다는 데 있다. 본인이 업무 시간 내 미처 끝내지 못한 업무를 처리하는 건데 초과근무를 찍는 건 본인 업무에 대한 책

임감이 없다는 식으로 폄하되었기 때문이다.

이 문제의 상황은 그의 주간 업무 보고, 인사고과와 정규직 전환 시험에까지도 자연스레 이어진다. 그 회사에서 그의 입지는 '배움이 느리고 일이 서툰 사원' 정도로 낙인된 것이다. 다행일지는 모르겠지만 정규직 전환에는 문제가 없었다. 어쨌든 필기시험은 커트라인보다 높은 성적으로 통과를 했으니까. 팀장의 말로는 고과 점수가 조금 부족하긴 했지만 그 정도는 눈감아주기로 했다고 한다.

"원래 사회생활에 익숙지 못한 청년들을 가르치고 키워내는 것도 회사의 일이다. 그러니 더 열심히 해라. 이제 밥값은 할 줄 알아야지."

라며 굳이 알고 싶지도 않은 사족을 붙이는 건 이제 익숙해진 일이다.

모가지 위에 머리가 제대로 붙어 있는 사람이라면 누구나 알 수 있듯 그 또한 회사의 문화가 무언가 잘못되었다는 것쯤은 알고 있다. 하지만 우리의 청년들이 퇴사를 결정하기란 그리 간단한 게 아니다. 어렵게 들어온 직장을 뒤로 한다는 것만으로도 큰 부담이고 다시 취업 준비를 해야 한다는 것과 그만큼 남들에 비해 더 뒤처질 것이란 사실도 그를 막막하게 만드는 요소일 테니까. 그리고 무엇보다 가장 큰 압박을 주는 건 '자기가 잘 할 수 있을까'라는 두려움이다. 취업조차도 어려운 요즘 상황에서 자기처럼 무능한 사람에게 정규직 자리를 선뜻 내줄 회사가 있겠느냐는 걱정은 순식간에 움이 터서 거대한 정글이 된다. 그리고 중요한 판단의 갈림길에 놓인 그는 방향을 알 수 없는 정글 속에서 체념한 채 왔던 길을 되짚어 다시 돌아갈 뿐이다.

"여기서라도 버틸 수 있으면 다행이지."

라는 말로 이미 한계를 훌쩍 뛰어넘은 듯한 자신을 위로하면서 말이다.

역시 오늘도 그는 야근이다. 업무일지는 애초에 작성조차 하지 않았다. 지금 들고 가면 학습능력이 없다며 욕을 들어먹은 후 퇴짜를 맞을 것이고, 그가 일을 마치고서는 결재해줄 책임자가 없기 때문이다.

쓸쓸한 초겨울의 하늘은 금세 어두워진다. 그렇대도 사무실의 불은 켜지 않는다. 그저 그의 모니터 화면만 밝게 빛나고 있을 뿐이다. 불을 켜면 텅 빈 회사 공간이 한눈에 들어오는 게 그는 싫었다. 그 적막감과 외로움, 그로부터 조금씩 풍겨오는 억울함을 느낄 바에는 차라리 주위가 어두워 아무것도 보지 못하는 편이 낫다. 이 무렵 쯤 되면 그는 어김없이 에너지드링크 한 캔을 깐다. 그리고는 그대로 쭈욱 들이켜고는 잠시 눈꺼풀을 덮은 채로 눈을 사방으로 굴려 뻣뻣했던 시신경을 풀어준다. 마지막으로 마른세수를 한 뒤 다시 키보드를 잡는다. 단 하루도 빠지지 않는 야근의 늪에서 조금이나마 피로를 풀 수 있는 그만의 작은 방법이다.

그래도 화장실 한 번조차 다녀오지 않고 내리 업무를 처리한 덕분인지 업무의 끝이 보이기 시작한다. 품절 상품 발주만 넣으면 되는 상황이다. 다만 그럴수록 더욱 조심해야 한다. 여느 사람들이 그러하듯 이 시기는 괜히 설레발을 치다가 자잘한 실수들을 남기는 경우가 많으니까. 다행히 무수한 폭언과 욕설 속에서 다져진 그의 업무 역량은 그런 설레발을 용납하려 하지 않았다. 그는 이미 퇴근 직전 겨우겨우 짬을 내 창고 담당 직원과의 소통을 마친 상태다. 그리고 그를 토대로 간단한 발주 체크리스트를 작성했다. 미리 적어둔 내용을 발주서에 그대로 옮기기만 하면 된다. 물론 모든 내용을 다 옮겼다고 그대로 컴퓨터를 꺼버리는 그런 무모한 짓을 하지도 않는다. 다시 한 번 체크리스트와 발주서의 내용을 대조해본 후 최종적으로 결재를 올리는 것이다. 눈은 한껏 충혈되어 뻣뻣한 느낌이지만 욕을 먹는 것보다는 몇 분 더 고생하는 게 나으니까.

다행히 발주서에는 큰 이상은 없는 듯했다. 그는 비로소 컴퓨터를 끄고 사무실의 문을 닫았다. 버스 정류장에 도착하자 온몸으로 중력을 끌어안은 것처럼 벤치에 털썩 주저앉았다. 조금 춥다고 느껴질 수 있을 정도의 밤공기였지만 벤치가 따뜻해서인지 그 자신도 모르게 눈이 감겨왔다. 눈꺼풀 또한 그의 몸처럼 중력을 거스를 힘이 남아 있지 않은 것일지도 모른다.

얼마의 시간이 지났을까. 꽤 긴 시간 눈을 붙인 느낌이다. 그때 버스의 깊고 두터운 경적 소리가 그를 깨웠다.

"탈 거요?"

머리가 희끗희끗한 중년의 버스 기사가 운전석 밖으로 몸을 최대한 빼고는 쓰러져 있는 그에게 말을 건넸다.

"아, 탑니다. 탑니다."

그는 화들짝 놀라 눈을 뜨고는 주위를 잠깐 두리번거린 뒤, 버스 몸체에 붙어있는 번호를 확인하고 황급히 버스에 올랐다.

"젊은 친구가 이제 퇴근했나보오"

중년의 버스 기사가 당황하며 버스에 오른 그를 측은하게 바라보며 말을 건넸다.

"아, 네."

그는 교통카드를 찍으며 머쓱하게 대답했다.

"요즘 젊은 친구들이 고생이 많은 것 같소. 우리 때도 힘드니 뭐니 했었지만 암만 생각해도 요즘만치는 아닌 것 같고."

그는 기사의 뒷자리에 앉아 시트에 몸을 묻으며 기사의 말을 잠자코 들었다.

"그래도 젊은 친구, 그렇게 살고 있다는 건 충분히 잘, 그리고 열심히 살고 있다는 것 아니겠는가. 힘들더라도 언젠가 보답받을 날이 있을 걸세. 원래 하늘이란 우주의 미물인 우리가 보기에는 조금 편파적인 것처럼 보여도 사실 그 진리는 공정하게 짜여진 법이니까."

별 것 아닌 오지랖, 조금 성가시게 느껴질 수도 있는 말이었지만 그날만큼은 그런 말도 위로가 되어주었다. 덕분인지 집에 도착해서도 편히 잠을 청할 수 있었다.

다음 날 아침, 원래 알람이 울려야 할 시간보다 조금 일찍 전화가 울렸다. 팀장이다.

"야, 너는 지금 이 사달을 내놓고 여지껏 잠을 자고 있어?"

아직 잠에서 완전히 깨지 못한 그의 꺽꺽한 목소리를 들은 팀장이 전화기 너머에서 한창 열을 올렸다. 그 또한 팀장의 그런 목소리에 놀라 침대에서 화들짝 일어났다. 귀에 댄 전화기에는 습관적으로 양손이 받쳐져 있었다.

"지금 당장 튀어와. 이사님실 가서 인사고 뭐고 당장 사무실로 튀어와."

팀장은 한참을 쏘아붙이더니 그 말과 함께 전화를 끊었다. 그는 제대로 씻지도 못한 채 팀장의 말에 따라 회사로 가는 버스에 몸을 실었다. 걱정, 두려움, 억울함 따위가 이질적으로 뒤엉킨 감정 속에서 그는 곧 눈물이 돌 것만 같았다. 그는 그럴 때마다 불규칙적인 자신만의 호흡을 하며 감정을 삭혔다.

"너는 도대체 어떻게 된 애가 그 모양이야. 우리가 못해준 게 뭔데 팀 전체를 먹이려고 난리야?"

사무실로 헐레벌떡 뛰어온 그를 본 팀장이 그가 숨을 고르기도 전에 쏘아붙였다.

"뭐 때문에 그러시는지……"

영문을 알 도리가 없는 그가 물었다.

"그걸 몰라서 물어? 그래 모르시겠지. 그럼 어디 한번 직접 봐라."

하며 팀장이 서류 더미를 그에게 던졌다. 낱장으로 흩어져 그의 얼굴을 때린 뒤 바닥으로 떨어지는 그 서류 더미는 다름 아닌 그가 어제 퇴근 직전 결재 신청을 올린 발주서였다.

"필요도 없는 상품을 몇백 개나 주문을 해?"

"그건 제가 다 확인을 한 부분이었지만 너무 피곤해서 미처 잡아내지 못한 실수가 있었던 것 같습니다."

그는 허리를 깊이 숙여가며 정말 죄송하다는 듯 자초지종을 설명했다.

"실수는 무슨 실수. 네가 피해를 봤다느니 임원진이 횡령을 한다느니 하는 이상한 소문까지 퍼뜨렸다는 놈이 그게 고작 실수라는 게 말이 되나. 회사가 싫고 네가 그렇게 피해를 입었다고 생각하면 조용히 혼자 나갈 것이지 이게 뭐 하는 짓이야."

여전히 영문을 모르는 말들의 향연. 그는 그저 혼자 열을 내며 자신을 쏘아붙이는 팀장을 멀뚱히 보고만 있을 수밖에 없었다. 이제 곧 팀장은 그에게 폭언과 욕설을 한껏 퍼부으려고 하는 것 같았다. 다행히 그 순간 전화벨이 울려 목구멍 끝까지 차오른 그것들을 되삼킨 것 같지만 말이다.

"예, 지금 왔습니다. 예, 바로 올려보내겠습니다."

전화는 과장이 받았다. 팀장을 제외하면 그가 그 팀의 가장 선임자였고, 앞에서도 말했다시피 팀장의 자리에는 전화가 없었으니까. 아, 전화는 물론 그 팀을 관리하는 이사의 전화다. 맞다. 매일 아침 그가 직접 찾아가 출근 도장을 찍는 그 임원. 용건이야 당연히 그를 찾는 전화였겠지.

"올라가봐."

팀장은 폭언과 욕설을 되삼키느라 터질 것처럼 붉어진 얼굴로 차분히 그에게 명령했다. 그는 말없이 허리를 숙여 인사한 뒤 엘리베이터를 타고 임원실로 올라갔다. 임원실에서는 이사의 비서가 그를 맞이하며,

"이야기가 길어지실 테니 가방은 두고 가시는 게 좋을 것 같습니다. 아, 사원증과 휴대전화도요."

하고 말했다. 가방은 그렇다 쳐도 사원증에 휴대전화까지 두고 가라니……상당한 구린내가 느껴졌지만 어쩔 수 있겠는가. 그는 그저 하라면 할 수밖에 없는 존재일 뿐이니.

"다른 전자기기나 녹음, 촬영 기능이 있는 것들은 없으시죠?"

"네, 없습니다."

그렇게 일일이 확인을 받은 후에야 비서는 이사실의 문을 두드려 그를 들여보냈다. 이사는 자신의 맞은편 의자에 그를 안내하고는 말을 꺼냈다.

"우리 정의로운 신입사원께서는 회사의 업무가 조금 힘들

었나 봅니다."

이사는 이전의 무미건조한 태도는 간데없이 다정한 말투로 그를 맞았다. 마치 고민 상담을 들어주는 상담사와 같은 느낌이 들 정도였다. 물론 그는 그 말에 대답하지 못했다.

"내가 회사의 공금을 횡령하기 위해 자네를 사주해 오발주를 넣게 했다고."

"무슨 말씀이신지 잘 모르겠습니다."

그의 대답에 이사는 잠시 피식 웃고는 말을 이었다.

"그래, 잘 몰라도 돼. 자네가 알고 모르고는 중요한 게 아니니. 어쨌든 분명한 건 자네가 나를 모함하기 위해 오발주를 넣고 회사에는 내가 횡령을 하기 위해 자네를 사주해 오발주를 넣게 했다는 소문을 내려고 했다는 사실이야."

"제가 어떻게 그런……어떤 경로로 그런 이야기가 돌기 시작한 건지는 모르겠지만 저는 그런 적이……"

"답답하군. 그런 건 중요한 게 아니란 말이네. 자네는 그저 그런 존재야. 그런 존재가 되어야만 하지. 요즘 회사 상황이 안 좋은 건 자네도 알고 있지? 하루가 멀다하고 원청 놈들은 우리를 어떻게든 후려쳐 보려고 하고, 내가 회삿돈을 조금씩 빼먹고 있다는 건 또 어찌 알아서 그런 소문이 도는지. 지금은 그런 회사의 분위기를 바꿔줘야 할 때지. 무슨 말인지 알겠나?"

이사의 목소리가 조금 날카로워졌다.

"물론 자네 입장에서는 조금 억울할 수도 있을 거라 생각하네. 누군들 안 그러겠나. 하지만 사회란 때로는 억울한 일도 있을 수 있는 법이야. 만약 정말 억울하다면 소송을 제기하게. 이미 자네의 만행은 회사 전체에 다 퍼져 있고 자네는 결백을 입증할 증거조차 없겠지만 말이야."

아까의 부드러운 태도는 점차 거만하게 바뀌어갔다. 그럴수록 그는 이사의 앞에서 점점 작아져만 가는 것 같았다. 마치 거대한 산의 법사면으로 쏘아진 5.56mm의 탄환처럼 말이다.

"어차피 자네도 회사에 불만이 많았을 거네. 실제로 적응하기도 상당히 힘들어 했지 않나. 그러니 우리 깔끔하게 처리했으면 하는 거지. 내 자네의 퇴직금이나 위로금은 두둑하게 챙겨주겠네. 자네는 그저 이 부정한 회사를 나가 더 좋은 회사로 가면 되는 거야. 우리 회사에 처음 입사할 때도 사실 그런 마음이었지 않은가."

"……."

목소리가 나오지 않았다. 눈물이 아닌 답답함에 가로막혀서. 참 아이러니하게도 지금이야말로 진정 억울함에 눈물이

나와야 할 때가 아닌가. 하지만 답답함이 과했던 탓인지 온 몸의 구멍이 모두 막혀 눈물조차도 나올 수 없을 것만 같았다.

"자네는 무고한 임원에 대한 모함과 그를 위한 악의적 업무 오류를 통해 회사 이미지와 영업이익에 있어 지대한 악영향을 끼친바, 오늘부로 해고 처리될 예정이네. 그만 나가 보게나."

이사는 그에게 나가라고 손짓한 뒤 괜히 자리에서 일어나 딴청을 피웠다. 이윽고 비서가 문을 열었고 그는 힘없이 걸어나갈 수밖에 없었다. 남들의 업무까지 죄다 맡아가며 일한 결과가 고작 이 모양이라니. 그도 한때는 자기 자신에 대한 큰 프라이드를 가지고 있던 촉망받는 인재였는데도 말이다.

"비서실에서는 저 친구 소지품 검사 확실히 하고 녹음된 거나 영상 있으면 삭제한 거 확실히 확인하고 내보내."

쓰러질 듯 걸어 나가는 그의 뒤로 이사의 목소리가 한 번 더 들려왔다. 인간이 근 80~100년을 살아가면서도 한 번 겪을 수 있을까 말까 한 모욕과 수치였지만 아주 조금의 꿈틀거림조차 내비칠 수 없었다. 여비서가 자신의 몸을 훑고 주머니에 손을 넣어 가진 것들을 모조리 꺼내 보는데도 말이다. 다시 또 언급하지만 그는 이 세계에 아무런 영향도, 작용도 일으킬 수 없는 미시적 존재, 그중에서도 아주 작은 존재에 불과하니까.

다행히 실업급여는 잘 나오고 있다. 퇴직금도 남들의 1.5배 정도로 두둑이 받았다. 재취업이 안 되고 있다는 문제만 빼면 그리 나쁘지 않다고 볼 수는 있겠다. 그가 이전 회사에서의 생활에 회의를 느껴 취업을 준비하지 않아서 그런 것만은 아니다. 회의를 느꼈던 건 사실이지만 당장 먹고 살아야 했기에 꽤 치열하게 재취업을 준비했다. 문제는 업계에 퍼진 그에 대한 소문. 그런 굉장한 폭탄을 받아줄 회사가 아무데도 없던 것이다.

"기능고장!"

사수가 아무리 방아쇠를 당겨봐도 격발이 되지 않는다. 좌·우측 사로에서는 계속해서 총성이 들리는데 하필 그에게만 그런 문제가 생긴 것이다. 휴가나 진급 조건, 사소하게는 재사격에 대한 면제 등. 사수 본인에게는 꽤 여러 가지가 걸린 중요한 사격이었기에 그 순간의 기능고장은 적잖아 치명적이었다. 잠시 갈피를 잡지 못하는 손, 당혹감, 조바심이 생기는 건 어찌할 수 없었다. 물론 조치는 해야 한다. 본인 스스로. 옆의 부사수나 통제관이 따로 해줄 수 있는 건 아니니까.

기운이 조금 빠지긴 했지만 방황하던 손은 이내 갈피를 잡고 탄알집을 두어 번 위로 올려친 뒤 다시 방아쇠를 당겼다. 물론 격발은 되지 않았다. 다시 조정간을 안전으로 돌리고 탄알집을 제거한 뒤 노리쇠를 당겼다. 약실에 탄이 끼여 잘 당겨지지 않았지만 개머리판을 가슴팍에 대고 온 힘을 다해 노리쇠를 당기자 이내 끼여 있던 탄이 튀어나왔다. 그는 바닥에 떨어진 탄을 주워 탄알집에 끼운 후 절차에 맞게 사격을 재개했다.

그의 부모는 그에게 집에 들어와서 잠시 쉬어가라고 권했지만 그는 그럴 수가 없었다. 꽤 긴 시간을 캥거루로 지내왔던 그였기에 다시 캥거루 신세를 진다는 건 더 이상 스스로도 용납되지 못한 탓이다. 서글프지만 어쩌겠는가.

상황이 그렇다 보니 그가 선택할 수 있는 건 단 한 가지뿐이었다. 자립하는 것. 누군가의 밑에서 커가는 게 아닌 스스로가 사회에 나가 스스로 커가는 것. 아무리 머리를 굴려봤지만 결국 답은 하나였다. 결국 그는 살고 있던 자취방을 뺐다. 잠시 본가에 내려가 부모님께 손을 벌리기도 했다. 대출은 자신의 명의와 부모님의 명의를 합하여 끌어올 수 있는 건 죄다 긁어모았다. 거기에 더해 이전 회사에서 해고당하면서 받은 퇴직금까지 합하니 작은 가게 하나 정도는 낼 수 있을 만큼이 모였다. 당장 몸을 누일 집이 없는 건 큰 문제가 되지 않았다. 잠은 가게에서도 충분히 잘 수 있으니까. 무서운 건 돈이지 다른 무서울 게 뭐가 있겠는가.

 처음의 당황스러움은 차분히 삭혀내고 적절하게 응급조치를 해냈다. 개머리판을 가슴팍에서 다시 어깨로 가져와 붙인다. 조금의 흔들림도 없이 견고하게 견착되었다. 호흡을 가다듬고 얼굴을 총기에 붙였다. 가늠자를 통과한 시선은 정확히 가늠쇠를 관통하여 표적으로 이어진다. 오른손 엄지를 들어 조정간을 한 칸 내린다. '단발', 보지 않아도 그쯤은 정확히 알 수 있다. 호흡은 살짝 들이마셨다가 천천히 내뱉는다. 서서히 약해지게 말이다. 그러면서 적정 수준이 되면 호흡을 멈춘다. 서서히 약해지던 호흡 세기의 곡선에 따라 자연스럽게. 방아쇠에 올린 검지는 오로지 몸쪽으로만 당겨온다.

 '틱'

 건조하기만 한 쇳소리가 짧고 묵직하게 울린다. 반동은 없다. 화약 냄새도 나지 않는다. 사수는 볼 수 없겠지만 표적에 탄흔이 남지도 않았을 것이다.

"기능고장!"

이제는 맥이 완전히 풀려 버렸다. 다시 응급조치를 한다고 해도 사격이 제대로 이루어질 수 있을까. 아마 안 되겠지. 무수한 의문만이 그를 가득 채웠다.

"너는 사격 안 되겠다. 다른 사로들 사격 끝날 때까지 대기해."

사수의 말을 듣고 온 사로 통제관이 말했다. 모든 응급조치의 절차를 착실히, 그리고 확실하게 수행해왔음에도 불구하고 그의 사격은 여기서 끝이 났다. 그 이후에는 아무것도 해보지 못한 채로 말이다.

사수가 안전검사대로 내려오자 탄 수불 간부가 그를 불렀다. 그러고는 문제의 5.56mm의 탄을 집어 들고는 이리저리 살폈다.

"이건 탄이 불발이네."

탄 수불 간부는 전투조끼에 걸어둔 플라이어를 꺼내 탄두를 뽑아 탄피 속 화약과 함께 땅바닥에 내던졌다

회색도시 5번가 133번지

워커 홀리데이

"이봐, 김 대리, 자네는 이걸 보고서라고 써온 건가. 당장 가서 다시 해오게."

부장은 손에 든 서류 뭉치를 책상에 내리치기도, 김 대리에게 삿대질을 하기도 하면서 언성을 높이고 있다. 비굴한 표정으로 양손을 가지런히 모으고 그저 고개를 숙이고만 있는 김 대리는 오늘도 야근이 확정된 듯하다. 물론 야근 신청을 하지 않고 야근을 하게 될 테니 서류상으로는 야근을 하지 않은 게 되겠지만 말이다. 어차피 야근 신청을 한다고 하더라도 김 대리의 눈앞에 있는 최 부장이

"네가 무능해서 업무시간 중에 일을 끝내놓지 못한 거면서 어딜 뻔뻔하게 수당을 받으려고 해."

하고 온갖 욕을 해대며 잘라버릴 게 뻔하니까. 그러니 김 대리 쪽에서도 욕이 안 나올 수가 없었다.

"업무 시간에는 그렇게 결재해달래도 미루기만 하다가 꼭

퇴근 시간만 되면 지랄이야."

김 대리는 입술에 힘을 주어 입을 더 굳게 다물었다. 자칫하다가는 입안 가득 들어찬 그 말이 새어 나올 것만 같았기 때문이다. 그때 김 대리의 아랫배 쪽에서 무언가 날카로우면서도 묵직한 감각이 느껴진다. 김 대리는 풀어두었던 눈에 다시 초점을 맞춰 감각이 느껴졌던 부분으로 돌렸다. 부장에게 제출했던 서류 뭉치. 그게 김 대리의 아랫배 깊숙이 찔러 들어온 것이다.

"뭐해, 멍청하게 보고만 있지 말고 빨리 움직여."

"네, 죄송합니다."

김 대리는 서류 뭉치를 다시 받아든 뒤, 자리로 이동했다.

"저렇게 굼떠서야. 어떻게 대리씩이나 달았는지 모르겠군."

등 뒤로 한 번 더 부장의 목소리가 들려왔다. 혀를 차는 소리와 함께 말이다. 김 대리는 조금의 미동도 없이 걸음을 이어갔다. 못 들은 걸까. 그건 아닐 것이다. 주변에 있던 누구라도 부장의 그런 비아냥을 들을 수 있을 정도의 소리였으니까. 그럼에도 아무런 반응을 하지 않고 듣지 못한 체 자리로 돌아가는 걸음을 재촉한 김 대리의 대처는 현명했다고 볼 수 있다. 혼잣말—설령 그게 의도적으로 누군가가 듣게 하려고 던진 혼잣말일지라도 혼잣말은 혼잣말로 남겨

두는 게 더 좋을 때가 있기 때문이다.

자신의 자리로 돌아온 김 대리는 이미 모니터의 하단 베젤 높이까지 쌓여 있는 서류 더미들 위에 방금 반려 당한 서류를 던져두며 의자에 몸을 묻었다. 가슴 속 깊은 곳, 너무 깊어 오직 검은 빛깔만이 남은 듯한 그곳에서부터 한숨이 터져 나왔다. 그래도 어쩌겠는가. 이런 게 바로 우리네 인생인 것을. 그의 옆에 앉은 이 과장도, 맞은편의 서 주임도, 심지어 이 시간까지 종이가 뜨거워질 정도로 인쇄기를 돌리고 있는 박 인턴, 자신에게 한참이나 열을 냈던 최 부장마저도 여전히 회사에 남아 있다는 사실에 위안 받을 뿐이다.

결국 잡무를 처리하니 시곗바늘은 열 시 언저리를 가리키고 있었다.

"이런, 자칫하다가는 막차를 놓치겠어."

김 대리는 서둘러 가방을 챙긴 뒤 사무실을 나왔다. 엘리베이터와 복도의 조명은 이미 한층 어두워진 지 오래였다. 엘리베이터를 타고 1층에 도착한 그는 목에 걸린 사원증을 게이트에 찍지 않았다. 대신 빨리 좀 나가라는 듯한 표정으로 열쇠를 쩔럭거리며 기다리고 있는 경비를 불러 게이트를 열어 달라고 요청한다. 야근 신청도 하지 않았는데 이 시간에 게이트에 사원증을 찍어버리면 전산상의 퇴근 시간이 꼬여 뒷일이 복잡해질 것을 염려한 것이다. 경비원은 엘리베이터에서 내리자마자 손을 흔들며 뛰어오는 김 대리를 보고는 늘상 있었던 일인 양 자연스럽게 게이트를 열어주었다. 건물을 나온 김 대리는 곧장 큰길로 빠져나와 택시를 잡아탔다.

"가까운 지하철역으로 가주세요."

스마트폰으로 시간을 확인하며 기사에게 말했다.

"막차 때문에 그러시오?"

초조해 보이는 김 대리와는 다르게 느긋한 목소리로 기사가 말했다.

"걱정하지 마시오, 여유 있게 도착할 테니."

택시기사의 말대로 김 대리는 지하철역에 도착해서도 뛰지 않아도 될 정도의 여유를 가질 수 있었다. 외곽으로 향하는 마지막 한 대의 지하철인 만큼 공간적인 여유는 기대할 수 없었지만 말이다.

그렇게 한 시간이 조금 더 넘는 시간 동안 자신과 비슷한 처지의 사람들과 부대끼고, 종착역에서부터 15분 정도를 더 걸어 비로소 집에 도착할 수 있었다. 현관 등조차 들어오지 않는 깜깜한 원룸에 불을 켜고 탈피를 시작한다. 처음엔 구두, 그리고는 양발을 비벼대며 양말을 벗는 동시에 손으로는 넥타이를 풀어헤친다. 그리고는 벨트와 바지, 마지막으로 셔츠까지 벗어 던진 뒤 침대에 쓰러진다.

배가 고프다. 밥을 먹어야 하는데. 요리를 하거나 뭔가를 사러 나갈 만한 에너지는 김 대리에게 남아 있을 리 만무하다. 결국 스마트폰을 들고 배달 애플리케이션을 실행한다. 생각해둔 메뉴도, 먹고 싶은 메뉴가 있던 것도 아니었지만 메뉴 선정에는 그리 오랜 시간이 걸리지 않았다. 할인 업체들을 살펴본 뒤, 적당한 메뉴로 시키면 그만이었으니까. 어차피 맛은 다 거기서 거기다. 벌써 몇 년째 배달음식을 달고 살아왔으니 특정 메뉴가 주는 특별함도 사라진 지 오래일 터였다. 그의 메뉴 선정 기준은 간단했다. 첫 번째, 가격이 저렴한가. 두 번째, 배달비가 저렴한가. 다음으로는 빠르게 배달되는가, 쓰레기가 적게 생기는가 정도다.

「결제가 완료되었습니다.」

하는 알림이 도착하기 무섭게 김 대리는 맥없이 스마트폰을 떨어뜨린다.

그가 다시 정신을 차린 건 배달 기사의 초인종 소리가 들렸을 때다. 그는 꼭 필요한 정도로만 문을 열어 배달 기사에게 음식을 건네받은 뒤 봉투에서 먹을 음식만 꺼내 방바닥에 깔아놓고는 입속으로 밀어넣기 시작했다. 왼손으로는 스마트폰을 붙잡은 채로, 스마트폰으로 어떤 의미가 있는 행위를 하는 건 아니다. SNS를 여기저기 돌아다니거나 짤막한 영상들을 넘기고 보고 넘기고 보는 것 정도가 전부다. 그게 재미있어서가 아니라 아마도 허전함을 채우기 위해서.

그런 무의미한 행위는 식사를 마친 뒤에도 이어진다. 식사가 끝난 일회용기들을 배달 온 봉투에 넣어 한구석에 치워 둘 때도, 다시 침대에 몸을 쓰러뜨릴 때도 말이다. 그리고 그런 무의미한 일은 김 대리의 얼마 있지도 않은 시간을 착실히 갉아먹었다. 벌써 자정이 훨씬 넘어 버린 것이다.

"통근버스가 일곱 시에 서울역……그럼 여기서는 첫차를 타야……적어도 다섯 시에는 일어나야겠군. 고작 네 시간 남짓 자게 되려나."

잠을 잔 게 맞나 싶을 정도로 짧은 시간 만에 알람이 울린다. 김 대리는 힘겨운 듯 신음하며 오른손으로 힘차게 알람을 울려대는 스마트폰을 찾는다. 그렇게 알람을 꺼버리고는 다시 얼굴을 베개에 묻는다.

"일어나기 싫어. 회사 가기 싫어."

어린아이의 투정 같은 그 말을 김 대리는 속으로, 어쩌면 꿈속에서 수천 번 되뇌고 있을지 모른다. 그렇지 않고서야 잠을 자는 그의 표정이 저렇거나 일그러질 리가 없을 테니까.

이때 김 대리의 스마트폰이 또 한 번 알람을 울렸다. 다만 이번에는 김 대리의 손아귀에 붙잡혀 있던 그의 신세였기에 그리 오랫동안 소리를 내지는 못했다. 그래, 뭐……아직 늦장을 부릴 여유쯤은 남아 있긴 하니까. 안타까운 점이라면 김 대리와 그의 스마트폰 간에 일어난 치열한 이 싸움은 한동안 지속되었고, 그 결과 남아 있던 여유―출근 준비를 위해 사용해야만 하는 시간적 여유마저도 완전히 사라져버렸다는 데 있다.

마지막 알람까지 완전히 해치운 김 대리는 다시 베개에 얼굴을 묻었다. 그러고는 이내 화들짝 놀라면서 일어나 스마트폰을 확인했다. 짜증 섞인 외마디 탄식과 함께 침대를 빠져나와 욕실로 달려갔다. 샤워를 할 수 있을 만큼의 시간은 남아 있지 않았기에 곧바로 허리를 숙여 머리를 감았다. 흐르는 샴푸 거품을 이용해 덤으로 얼굴까지 닦은 뒤 세면대 앞에서 칫솔질을 시작했다. 그저 강하게 몇 번을 문지른 후 입을 헹궈내는 것으로 끝났지만 말이다.

욕실을 나온 그는 바닥에 널브러져 있던 옷을 어제 벗어두었던 순서의 역순으로 주워 입고 집을 나섰다. 그러고는 달렸다. 평소 운동을 전혀 하지 않는 그의 몸으로 역까지의 거리를 달리기에는 무리가 있어 보이는 듯했으나 어떤 알 수 없는 힘 덕분인지는 몰라도 만원의 인파를 뚫고서 본인의 열차에 탑승할 수 있었다.

퇴근길의 그것과는 비교조차 할 수 없을 정도로 붐비는 열차 안, 그래도 조금만 견디면 된다. 출근길에는 서울역까지만 가면 통근버스를 탈 수 있었기 때문이다. 통근버스에는 앉아서 갈 정도의 충분한 좌석이 있고 목적지를 지나칠 염려도 없다. 눈을 붙이며 편하게 갈 수 있을 것이다. 또한 현재 김 대리의 상태로 봤을 땐 마냥 좋다고 할 수는 없겠지만 대중교통만을 이용하는 것보다 회사에 더 빠르게 도착할 수도 있겠지.

사무실에 도착한 그의 몸은 더욱 무거워진 듯했다. 그러나 움직여야. 곧장 아침 회의가 시작될 테니까. 컴퓨터를 켜 사내 메일과 전자문서들을 빠르게 확인한 다음 수첩과 펜을 챙겨 회의실로 향했다. 대략 한 시간 정도 진행되는 잡담 위주의 실없는 아침 회의를 마치고는 당장 해야만 하는 급한 업무들만 대충 처리한다. 그러면 비로소 김 대리의 시간으로 접어든다.

김 대리는 마지막 업무가 끝나기 무섭게 화장실로 달려간다. 남자 화장실 대변기 세 칸 중 가장 마지막 칸. 비데가 설치된 칸이다. 용변이 급했던 것은 아니다. 오히려 그의 표정은 그런 사람들의 표정과는 달라 보였다. 오늘 봤던 표정 중 유일하게 긍정적인 뉘앙스가 나타나는 표정이었다. 그렇다면 그가 이곳까지 달려온 이유는 뻔하겠지. 비데의 온기를 느끼면서 잠시나마 눈을 붙이는 것 말고는 뭐가 더 있겠는가. 예상대로 그는 변기에 앉아 두 다리를 쭉 뻗고 몸은 최대한 뒤로 뉘였다. 스마트폰으로 20분 뒤 알람, 물론 진동으로 맞춰놓는 것 또한 잊지 않았다. 마지막으로 그는 스마트폰을 셔츠의 가슴 주머니에 넣은 후 팔짱을 끼고 고개를 떨궜다.

잠시 뒤, 꿈속을 헤매던 김 대리의 의식이 불완전하게나마 돌아왔다. 스마트폰의 알람이 울리지 않은 것으로 보아 그가 깨어날 만큼 충분한 시간이 흐른 것도 아니었을 텐데 말이다. 아마 언제부터 시작되었는지 모를 화장실 밖의 소란스러움 때문인 것 같다. 이에 김 대리의 머릿속에 한 가지의 걱정이 차오른다. 본인이 너무 오랫동안 잠들었던 건 아닌지, 그래서 자신이 다른 사람들 몰래 농땡이를 피우고 있던 게 들킨 건 아닌지 하는 걱정들. 잘못을 저지른 사람이 보통 그러하듯이. 그래서 그는 시간을 확인할 겨를도 없이 변기의 물을 내린 뒤, 칸을 빠져나왔다. 세면대 앞에 서서 괜히 한 번 손을 씻고 머리에 물을 묻혔다. 미세하게나마 사무실과 가까워진 탓인지 요란스러움이 더욱 잘 느껴지는 듯했다.

"이런, 큰일이다."

김 대리는 길게, 그러면서도 크고 깊게 한숨을 내쉰 뒤 어쩔 수 없이 당면해야만 하는 현실을 향해 조심스레 화장실 문을 열었다. 그리고 인지하기도 어려울 정도로 짧은 찰나의 순간 만에 그의 동공과 구강이 경이로울 만한 크기로 확장되었다. 큰일은 큰일, 그러나 김 대리가 예상했던 것과는 꽤나 다른 종류의 큰일이 그의 눈앞에서 펼쳐지고 있었기 때문이다.

그의 머리 위에서는 거대한 레일을 타고 롤러코스터가 지나가고 있었다. 발원지를 알 수 없는 개구진 음악과 함께 롤러코스터의 굉음이 김 대리의 귓전을 때렸다. 눈을 비벼도 보고 손가락으로 꾹꾹 눌러 마사지를 한 뒤 다시 떠봐도 그건 온전한 현실의 모습이었다. 김 대리는 잠시 뒤를 돌아봤다. 자신이 들어갔던 회사의 화장실 문이 맞는지를 확인하기 위해서. 그러나 별 소용은 없었다. 그것은 틀림없는 회사 화장실의 문이었다. 문을 열고 다시 들어가 봐도 회사 화장실, 자신이 앉아 있던 마지막 비데가 설치된 칸마저도 그대로다.

그럼 창밖은?

당연한 일이겠지만 화장실에 난 작은 창문을 넘어 펼쳐진 광경은 여느 때와 다름없는 회사 건물 밖의 풍경이었다. 김 대리는 다시 화장실 문을 열고 사무실─지금의 상황을 반영해 조금 더 정확하게 표현하자면 사무실이었던 곳으로 나갔다. 왼쪽 먼 곳, 회사 이름이 새겨진 괘종시계가 있어야 할 자리에는 바이킹이 오르락내리락하고 있었다. 분명 반쯤은 넋이 나간 표정으로 검은 활자가 빼곡하게 인쇄된 서류를 들고 바쁘게 뛰어다녀야 할 사람들은 종이가 아닌 솜사탕이나 핫바 따위를 들고는 행복한 표정을 짓고 있었다.

이질적인 세계, 현실이 아니어야만 하는 현실. 김 대리는 믿지 못하겠다는 표정을 지으면서도 쭈뼛거리며 그 세계로 발을 들였다. 딱딱한 바닥과 마찰되어 나는 구둣발 소리, 그리고 그 위로 선명히 느껴지는 사무실 바닥과 구두의 딱딱한 감촉, 가볍지 않은 자신의 체중이 오른발을 통해 온전히 느껴졌다. 그는 한 손으로 마른세수를 한 뒤, 자신의 자리가 있었다고 생각되는 방향으로 발걸음을 이었다. 자신의 자리로 되돌아가는 길은 꽤나 멀었다. 사무실이 롤러코스터와 바이킹이 들어설 정도의 공간이 되어버렸으니 어쩌면 당연한 일일지도 모르겠다. 그래도 그 길을 걸어가다 보니 김 대리는 한 가지의 확신을 가질 수 있게 되었다. 이곳은 본인이 다니는 회사가 맞다는 확신. 조금 이상하긴 해도 이곳에 있는 모두는 김 대리가 다니는 회사의 직원들이던 것이다. 심지어 옷차림까지 오늘 아침 봤던 차림새와 모두 일치하는 듯했다. 또 몇몇은 오른손을 번쩍 들어올리며,

"김 대리님!"

하며 아는 척까지 하지 않는가. 그 확신이 여전히 정신을 차리지 못하는 이 가련한 김 대리에게 편안이나 안도를 선사하기보다는 혼란만 더 가중하는 듯했지만……. 어쨌든 김 대리에게는 우선 자기 자리로 돌아가자는 생각이 그 무엇보다 앞에 있었다. 팀원들을 만나 이야기를 나눠보면 어떤 실마리라도 얻을 수 있지 않을까 하는 생각 때문이었다.

역시 김 대리의 예상대로 자신의 자리였던 곳으로 판단되는 위치에 도달하자 팀원들이 모여 있었다. 다들 웃고 있는 표정으로 보아 분위기는 그리 나쁘지 않아 보인다. 그래도 조심해서 나쁠 건 없다. 김 대리는 마치 처음부터 그 자리에 있었던 것마냥 그들의 틈바구니 속으로 들어갔다.

"어, 김 대리, 어디 갔다 이제 왔어."

하고 묻는 이 과장을 보아하니 그의 뜻대로 되진 않은 듯

했지만. 뭐, 아무렴 어떤가. 그것 때문에 김 대리를 질책할 사람은 없는 듯한 분위기였으니 그걸로 된 거다.

"아, 잠시 배가 아파서 화장실을 다녀오느라……"

김 대리는 이 과장의 질문에 늘 그랬듯 똑같은, 그러면서도 가장 효과적인 변명을 댔다. 제아무리 상사라고 한들 배가 아파서 화장실을 다녀왔다는데 뭘 어쩌겠는가. 무엇보다 그 변명이 아주 틀린 말도 아니니 양심의 가책 또한 덜 수 있었다.

"자네는 매일 아침, 그것도 아침 회의 직후의 시간마다 배가 아파지나 보군."

하는 부장의 비아냥은 피할 수 없었지만, 그래도 이 정도면 충분히 잘 넘긴 셈이다. 당장의 고비를 넘긴 김 대리는 이 사태의 원인을 파악하기로 했다.

"그나저나 갑자기 회사가 왜 이렇게 된 거죠?"

이 부분에서만큼은 팀원들의 반응이 냉담했다. 다들 영문을 알 수 없다는 표정으로 고개를 갸웃거리며 김 대리를 빤히 처다보더니 이내 딴지 걸기를 좋아하는 최 부장이 입을 열었다.

"회사가 왜 이렇게 됐냐니. 자네는 배가 아니라 머리가 아픈 것 같구만."

그러고는 잠시 뜸을 들인 뒤,

"하긴 자네 같은 직원이 버젓이 월급을 타 먹고 있으니 회사가 이상해졌다는 것도 틀린 말은 아니지."

하며 몹시 언짢다는 목소리로 말했다. 옆에 있던 이 과장과 서 주임도 부장의 말을 거들었다.

"그래, 우리 회사는 늘 이랬고, 앞으로도 이럴 거야. 평소와 달라진 게 아무것도 없는데 갑자기 무슨 이상한 소리를 하는 건지."

아이러니하게도 다른 직원들은 회사가 놀이공원이 되어버린 사상 초유의 사태를 인지하지 못하는 듯했다. 김 대리는 그런 상황 속에서 대화를 계속 이어나가봤자 본인 스스로만 이상한 사람이 될 듯하여 더 이상의 추궁은 그만두기로 했다.

"저런 모지리는 그만 상대하고 일이나 하자고. 오늘도 바쁜 하루가 될 걸세."

최 부장은 두 번 박수를 쳐 직원들의 주의를 환기시킨 뒤 말했다. 그런 부장의 말이 떨어지기 무섭게 이 과장은

"오늘까지 해야 할 업무들을 서류철에 넣어뒀으니 퇴근 전까지 다 처리해,"

라고 말했다. 김 대리는 이 과장이 업무철이랍시고 준 종

이 책자 하나를 받아 펼쳐보았다.

〈모험과 환상이 가득한 곳, OO물산〉

흥미진진한 모험을 즐기고 모든 도장을 모아 보세요.

1. 빙글빙글 회전의자 탑승하기	
2. 오싹오싹, 유령의 집 탐험하기	
3. 귀여운 친구들이 있는 동물원 관람하기	
4. 빵야빵야! 사격장에서 상품 획득하기	
5. 마지막까지 남아 퍼레이드 구경하기	

맙소사 이런 게 업무라니. 김 대리는 너무 어이가 없는 나머지 하마터면 웃음이 터질 뻔했다. 잠시 숨을 골랐다. 그러고는 업무철이라는 종이 책자를 덮은 뒤,

"알겠습니다."

하고 평온한 말투로 대답했다.

"그래, 퇴근 전까지 꼭 처리해야 해. 끝내기 전까지 퇴근할 생각은 하지 않는 게 좋을 거야."

이 과장은 '퇴근'이라는 단어를 말할 때마다 힘을 주어 강조하며 말한 다음 자신의 업무철을 들고 걸음을 옮겼다.

그래, 업무야 처리하면 그만이다. 그것도 놀이공원에서 어트랙션을 타는 정도의 일이라면 그저 즐기면 될 일이다. 김 대리는 자신의 업무철을 다시 한번 펼쳐본 뒤, 가야 할 방향조차도 알지 못한 채로 걸음을 옮겼다. 다행히 회전의자를 탑승하는 곳은 그리 어렵지 않게 찾을 수 있었다. 사무실에서 가장 눈에 잘 띄는 곳, 회의실이 있던 자리에 그것이 있어 준 덕분이다. 그곳에는 이미 많은 사람들이 줄을 서 있었고 또, 적지 않은 사람들이 웃고 떠들며 회의실이었던 회전의자 어트랙션에서 나와 도장을 받아갔다. 김 대리 또한 그 뒤에 줄을 섰고 얼마 지나지 않아 입장할 수 있었다.

"안녕하세요, 이곳은 모험과 환상이 가득한 곳, ㅇㅇ물산입니다. 회전의자에 탑승하실 분은 입장권을 보여주세요."

입구 앞 안내원이 말했다.

"저, 입장권이 뭐죠?"

김 대리는 당황한 목소리로 말했다.

"목에 매고 계신 겁니다."

안내원은 당황한 김 대리에게 친절하게 답해줬다. 그는 허

둥대며 목에 걸려 있던 사원증,

「자유이용권」

이라고 적힌 사원증이었던 것을 보여주었다.

"네, 자유이용권 확인되었습니다. 입장해주시면 됩니다."

김 대리는 안내원의 안내에 따라 회의실이었던 회전의자 어트랙션으로 입장했다. 내부구조는 크게 변함이 없었다. 'ㄷ'자 형태로 놓인 책상과 그 주위를 둘러싼 수 개의 회전 의자들이 있을 뿐이었다.

"입장하신 분들은 한 자리에 한 분씩 탑승해주시기 바랍니다. 놀이기구가 움직이고 있을 때는 안전을 위해 절대 움직이지 마시고, 팔걸이를 꼭 잡아주시기 바랍니다. 내리실 때는 놀이기구가 완전히 멈춘 뒤 내려주시고 왼쪽에 보이시는 문으로 나가시면 됩니다."

열댓 명 정도의 직원들이 의자에 앉자,

"그럼 출발합니다."

라는 안내원의 말과 함께 회전의자가 움직이기 시작했다. 적당한 속도로 자전함과 동시에 'ㄷ'자 형태로 놓인 책상 주위를 공전했다. 운행시간은 그리 길지 않은 대략 2분 정도로 여느 놀이공원의 어트랙션 운행시간과 비슷했다. 회전 의자가 움직임을 멈추자 의자에 앉아 있던 직원들은 일제히 일어나 회의실을 빠져나갔다. 출구 앞에서는 또 다른 안내원이 업무철에 결재 도장을 찍어주었다. 김 대리는 잠시 망설이다 그 안내원에게 다음 목적지인 유령의 집의 위치를 물어보았다. 안내원은 친절히 6층으로 가면 된다고 알려주었다.

6층, 6층이라. 유령의 집이 대충 어떤 것일지 김 대리는 직감했다. 원래대로라면 그곳은 임원 회의실이 있어야 할 곳이었기에 평소 눈치가 부족했던 김 대리도 비교적 쉽게 유추할 수 있었던 것이다.

"임원 회의실이 유령의 집이라, 대체 누가 선정했는지는 모르겠지만 기가 막힌 선택이네."

김 대리는 나직하게 읊조리며 임원 회의실 문 앞에 섰다. 문 너머에서는 웅성거리는 소리가 들려왔다. 회의실 안쪽에서는 열띤 회의가 진행되고 있는 듯했다. 일개 대리가 감히 임원들이 회의하는 곳에 불쑥 들어가 그걸 구경하고 나오다니. 미친 짓거리가 아닐 수 없었다. 침 삼키는 소리가 주변에 울려 퍼지는 것만 같아 더욱 몸이 떨렸다. 그런 김 대리의 심정을 아는지 모르는지,

"입장 준비가 되시면 힘껏 문을 열어주세요."

하고 웃으며 말하는 안내원의 목소리가 얄미웠다. 김 대리

는 어쩔 수 없이 임원 회의실의 문고리를 잡았다.

"좋아요. 그럼 하나, 둘, 셋, 하면 있는 힘껏 문을 여는 거예요."

김 대리는 그 안내원을 한 번 흘겨봤다. 야속하게도 안내원은 아랑곳하지 않고 숫자를 셌다. 결국 김 대리는 눈을 질끈 감고 강하게 문을 열 수밖에 없었다. 한창 회의가 진행되던 회의실이 순식간에 정적으로 휩싸였다. 그리고 모든 이목이 김 대리에게 집중되었다. 공기는 한없이 차갑고 무거웠다. 김 대리는 식은땀으로 속옷은 물론 셔츠와 바지까지 흠뻑 젖어드는 게 느껴졌다. 회의실에 앉아 있는 임원들은 따가운 눈초리로 김 대리를 노려보고만 있다. 김 대리는 멋쩍게 웃으며 정해진 루트대로 회의실을 한 바퀴 돌았다. 임원들은 상당히 불쾌하다는 듯한 표정으로 김 대리를 따라 시선을 움직인다. 시간은 대략 1분도 걸리지 않았다. 그러나 김 대리에게만큼은 수십 시간으로 느껴졌으리라.

회의실을 나온 김 대리는 재빨리 문을 닫았다. 다리에 힘이 풀린 듯 문에 기대 살짝 주저앉았다. 문 뒤에서는 아무일도 없었다는 듯 다시 웅성거리기 시작했다.

"이런 게 진짜 현실 공포지."

김 대리는 민망함을 달래기 위해 괜히 혼잣말을 내뱉고는 잠시 숨을 골랐다. 긴장이 풀린 탓일까, 견딜 수 없는 공복감이 위장을 쥐어 짜냈다. 김 대리는 그제야 스마트폰을 들어 시간을 확인할 생각이 들었다.

'12:00'

배가 고플 만한 시간이다. 김 대리는 우선 식사를 하기로 결정했다. 식당은 본래 지하 1층에 있었다. 이 놀이공원도 결국 기존 회사의 시설을 기반으로 변화된 것이기에 지하 1층으로 내려가 보면 무언가 먹을 만한 게 있을 듯했다.

역시 지하 1층에는 푸드코트가 자리 잡고 있었다. 입구에서 사원증, 아니 자유이용권을 태그하고 들어가 뷔페식을 이용하면 되었다. 메뉴도 늘 나오던 그대로였다. 이 회사에서 가장 변화가 적은 장소를 꼽으라면 아마 식당이 되지 않을까, 하는 생각이 김 대리의 머릿속에 잠시 앉았다 심연을 향해 다시 날아갔다.

식당에서는 직원들이 놀이공원으로 단체 소풍을 온 학생들마냥 떠들고 있었다.

"일단 도장은 다 모았는데 그냥 퇴근할까."

"그러기엔 좀 아쉽지 않아? 아직 못 해본 것도 많고, 퍼레이드는 꼭 봐야하지 않겠어?"

"하긴, 이왕 출근했는데 좀 더 즐기다 가는 게 맞겠지? 퍼레이드를 놓치는 것도 아쉽고 말이야."

대체 뭐가 그리 좋다는 건지. 여전히 이해를 할 수가 없는 김 대리였다. 그는 차라리 조금 삭막하더라도 조용했던 이전의 회사가 본인의 정서에는 더 맞는 게 아닐까 하는 생각을 잠깐 했다.

식사를 마친 그는 식당 입구 옆에 배치된 안내판을 확인했다. 안내판을 통해 확인한 변화된 회사는 생각했던 것 이상으로 가관이었다. 회사 건물 옥상이 자이로드롭이라니. 김 대리는 고개를 저었다.

'정신 차리자. 정신 차리고 빨리 업무를 끝낸 다음 이 정신 나간 곳을 빠져나가는 게 상책이야.'

김 대리는 생각했다. 그의 눈은 빠르게 안내판의 지도를 훑었고 이내 동물원을 찾아낼 수 있었다. 동물원은 2층에서 모노레일을 타면 된단다. 회사에 동물원이라니, 그나마 예상했던 건 회사 주변 길고양이들을 보는 것 정도려나 싶었는데, 장소가 2층이라면 그 예상은 빗나간 거겠지.

2층에 도착한 김 대리는 모노레일에 올라 창가 쪽 좌석에 자리를 잡았다. 모노레일은 2층을 천천히 순회하며 필요한 구간마다 멈춰 탑승자들이 관람하거나 사진을 찍을 수 있는 시간을 주었다. 보통 대부분의 사파리 투어가 그렇듯 적재

적소에 꽂아주는 안내방송 멘트도 빠지지 않았다. 모노레일이 가장 먼저 멈춰선 곳은 2층 전체를 가득 채우고 있는 사무실이었다. 이상하게도 이곳의 사람들은 정상적인 회사원들처럼 자신의 자리를 지키며 업무를 처리하는 데 집중하고 있었다. 반면 모노레일에 타고 있던 사람들은 모노레일이 멈추자 일제히 스마트폰을 꺼내 사진을 찍기 바빴다.

"자, 창밖을 보시면 우리가 첫 번째로 관람할 귀여운 친구들의 모습이 보입니다. 이들은 아침이 되면 바로 이 장소에 모여 보시는 바와 같은 집단행동을 합니다. 그리고 이런 집단행동은 대부분 해가 저물 무렵, 혹은 밤이 깊어질 때까지 이어집니다. 일부 개체는 먹이를 먹는 것, 혹은 잠을 자는 것마저도 포기한 채 이러한 집단행동에 집중하는 모습을 보입니다."

모노레일 안쪽의 사람들은 아무런 미동조차 없이 손가락만을 움직이는 2층 사무실 직원들의 모습을 보며 신기하다는 듯 사진을 찍어댔다. 모노레일 내부에서는 유일하게 김 대리만이 무언가 씁쓸한 감정을 느끼며, 그런 2층 직원들을 신기해하는 이들을 되려 신기해했다. 모노레일이 다음으로 향한 곳은 회의실이었다. 모노레일이 멈추자 안내방송이 흘러나왔다.

"이곳은 우리 귀여운 친구들이 모여 소통활동을 하는 곳입니다. 그들은 집단생활을 하는 동물들 중에서도 집단의 역할을 상당히 중요하게 생각하는 만큼 수시로 모여 집단적 소통활동을 한답니다. 저렇게 손가락으로 필요한 부분을 가리키거나 책상을 치며 화를 내는 모습이 마치 사람 같죠?"

김 대리는 역시나 이런 것들을 보면서 즐거워하는 모노레일 내부의 사람들을 이해할 수가 없었다. 모노레일은 탕비실, 휴게실 등을 경유한 뒤 마지막 행선지인 화장실에 도착했다.

"자, 여러분들, 여기는 저희의 마지막 여행지인데요. 바로 우리 친구들이 용변을 처리하는 화장실이라고 생각하시면 될 것 같아요. 그들이 용변을 처리하는 방법은 개체의 성별에 따라 조금씩 다른데요. 먼저 수컷 개체들은 한쪽 벽면에 붙어 있는 소변기에 선 채로 소변을 처리하고, 대변의 경우 그 뒤편으로 보이는 작은 칸막이 안으로 들어가 처리합니다. 암컷 개체들의 경우 대소변 관계없이 칸막이 안쪽에서 모든 용변을 처리하지요. 마지막으로는 나무를 물에 불려 만든 얇고 부드러운 펄프로 뒤처리를 한 다음 물을 흘려보내 자신의 흔적을 지웁니다. 어떤가요. 정말 깔끔한 친구들이죠?"

이 부분 쯤에서 모노레일 내부에 탑승해 있던 몇몇 직원들은 박수를 치기도 했다. 대체 뭐가 그리 신난다고. 김 대리는 본인이 이런 것까지 봐야 하다니, 그 전에 같은 인간으로서, 심지어 같은 회사의 직원으로서 2층의 직원들에게 저런 비인격적인 대우를 한다는 것에 언짢음을 넘어서서 일종의 분노나 경멸을 느꼈다. 자신도 모르게 욕이 튀어나올 정도였다.

화장실을 빠져나온 모노레일은 다시 원점으로 돌아왔다. 김 대리는 모노레일에서 내려 업무철에 도장을 받았다. 그러고는 말없이 다음 목적지를 향해 무척이나 빠른 걸음으로 걸어갔다. 그저 모든 도장을 찍고 이 정신 나간 곳을 빠져나가야겠다는 생각만이 그를 가득 채웠다.

다음 목적지는 사격장, 그곳은 가까운 곳에 있었다. 각 층마다 두세 군데씩 있는 인쇄실이 바로 사격장이었다. 안내 직원에게 자유이용권을 보여주자 그는 김 대리에게 스테이플러 하나와 심 한 줄을 건네주었다. 김 대리는 사선에 서서 질린다는 표정으로 깊은 한숨을 내쉰 뒤, 스테이플러에 심을 넣고는 스테이플러를 일자로 폈다. 그런 다음 권총 사격을 할 때처럼 옆으로 서서 스테이플러를 쥔 손을 표적을 향해 뻗었다. 이제 한쪽 눈을 슬며시 감는다. 점차 호흡을 줄이고 호흡이 완전히 멈췄을 때 주먹을 꽉 움켜쥔다.

'탈칵'

하는 소리와 함께 심이 날아가 풍선을 터뜨린다. 고작 사무용 스테이플러가 저 정도로 멀리까지, 그것도 저렇게나 강한 힘으로 심을 날려 보낼 수 있다니. 말도 안 되는 일이긴 하지만 그걸 고민해서 무엇하겠는가. 이곳은 애초에 우리의 상식으로는 이해할 수 없는 공간이 되어 버린 지 오래다. 김 대리는 단번에 상품을 따냈다. 얼마 전 예비군 훈련을 다녀온 덕분인지도 모르겠다. 물론 권총은 본 적도 없었을 테지만.

시간을 확인하니 네 시가 조금 넘은 시각. 퍼레이드는 21시 30분부터 22시까지 대략 30분 정도 진행된다고 한다. 오늘도 김 대리의 야근은 확정된 셈이다. 그나마 오늘은 평소와 달리 그 모든 시간을 업무처리에 사용할 필요는 없으니 좀 더 낫다고 볼 수 있으려나. 실제로 지금부터 퍼레이드가 시작되기 전까지는 김 대리가 자유롭게 활용할 수 있는 시간들이니까. 막상 김 대리의 표정을 보면 그렇지 못하다는 걸 쉽게 알아차릴 수 있겠지만 말이다.

김 대리는 가장 가까운 벤치를 찾아 엉덩이를 붙였다. 너무도 자연스레 앓는 소리가 나왔다. 잠시 지나다니는 사람들을 본다. 단 한 점의 어둠도 드리워지지 않은 행복한 표정이다. 이런 말도 안 되는 세상 속에서 어쩜 저렇게들 행복할 수만 있을까. 그런 생각을 하니 김 대리의 한숨은 더욱 깊어지기만 했다.

'나도 이 상황을 그저 즐기면 저들처럼 마냥 행복해질 수 있을까.'

어린 시절 놀이공원을 꽤나 좋아했던 김 대리는 잠시 그런 생각을 하며, 다른 어트랙션이라도 타 볼까 생각했다. 그러나 이내 그만두기로 했다. 이런 뒤틀린 장소, 뒤틀린 사람들과 동화된다는 사실에 말할 수 없는 역겨움 같은 것이 밀려왔기 때문이다. 김 대리는 다른 어트랙션으로 향하는 대신 자기 자리가 있던 곳으로 가기로 했다. 그곳에서라면 아주 조금이나마 안정감을 찾을 수 있지 않을까 싶어서였다. 모노레일은 이용하지 않았다. 그저 너털거리는 발걸음을 힘겹게 옮길 뿐이다.

팀원들은 자리에 없었다. 아마 그들 나름대로 지금의 회사를 즐기고 있는 것이겠지. 김 대리는 자신의 자리―이미 놀이공원 벤치가 되어버린 곳에 앉아 몸을 기댄 다음 슬며시 눈을 감았다. 잠은 오지 않았다. 조그마한 공 속에 갇혀 이리저리 굴러다니는 듯한 느낌이 들었다. 머릿속이 정리되기는커녕 오히려 어지러워지고 있었기에 이내 눈을 떴다. 눈물이 나올 것만 같았다. 눈물 대신 한숨을 쏟아내긴 했지만. 겉보기에는 나쁘지 않은 선택이라고 생각된다. 어찌 됐든 김 대리에게도 체면이란 게 있긴 했으니까.

'회사를 다니는 게 좀 더 즐거워졌으면 좋겠다는 생각은 해본 적 있지만 이런 식은 아니었는데……'

김 대리는 초점 없는 눈으로 허공의 어느 한 지점을 바라봤다. 더 이상 아무런 생각도 느낌도 들지 않았다. 시간만이 허무할 정도로 빠르게 흘러갔다. 자리를 떠나 있던 팀원들이 돌아왔다. 퍼레이드를 보기 위함이라고 했다. 얼마 전 정규직 전환에 실패한 박 인턴만이 자이로드롭을 타러 가느라 오지 않았다고 한다.

이윽고 멀찍이서부터 폭죽 소리와 함께 악대의 연주 소리가 들리기 시작했다. 퍼레이드가 시작된 것이리라. 퍼레이드 행렬은 김 대리와 그의 팀원들 앞에도 이내 모습을 드러냈다. 제복을 차려입은 비서실의 직원들이 가장 앞에서 회사기를 높이 들고 퍼레이드 행렬을 이끌고 있다. 그 뒤로는 회장, 부회장, 각 계열사의 사장들과 부사장들, 전무, 상무, 기타 임원들, 심지어는 주주들까지도 수 대의 밴드왜건 위에서 손을 흔들고 있다. 밴드왜건의 양옆으로는 마찬가지로 악대복을 입은 비서실의 직원들이 행진곡을 연주하며 밴드 왜건과 속도를 맞춰 걷고 있다. 마지막으로 행렬의 가장 뒤에서는 처음과 마찬가지로 회사기를 든 비서실 직원들이 오를 맞춰 행렬을 따라가고 있다.

이제는 놀랍지도, 웃기지도 않았다. 그저 체념한 채 남들을 따라 박수나 치는 게 전부다. 음악 소리가 서서히 멀어져 아련해질 때까지.

퍼레이드 행렬이 모두 지나가자 우리 팀원을 비롯한 주변의 모든 사람들이 퍼레이드의 웅장함에 대해 혀를 내둘렀다. 김 대리 또한

"예, 뭐, 멋지네요."

하고 건성으로 동조했다.

업무철을 보니 퍼레이드를 구경하라는 업무란엔 이미 도장이 찍혀 있었다. 대체 언제, 누가, 어떻게? 그러나 김 대리는 그런 사소한 것 따위는 생각하지 않기로 했다. 이미 비상식적인 일들이 차고 넘친 하루였는데, 그런 게 신경 쓰일리가. 정말 중요한 것은 드디어 모든 업무를 마치고 결재 도장을 받아냈다는 데 있다. 드디어 퇴근이다.

"다들 잘들 놀았는가. 아쉽긴 하지만 이제 슬슬 집에 들어가야 하지 않겠나."

최 부장이 말했다.

"예, 즐거웠습니다. 그럼 들어가 보겠습니다."

다른 직원들은 수고나 고생했다는 말 대신 즐거웠다는 말로 상투적인 인사를 했다. 그리고 그들은 엘리베이터 대신 회전 관람차를 타고 로비로 내려와 회전문 대신 회전목마를 타고 건물 밖으로 나왔다. 이제 혹자는 자가용 대신 범퍼카를 타고, 또 누군가는 통근버스 대신 코끼리 열차를 타고 각자의 보금자리로 돌아간다. 이 시간까지 통근버스가 있다니. 김 대리가 오늘 중 유일하게 만족할 만한 부분이었다.

코끼리 열차를 타고 집으로 향하는 김 대리의 뒤로 회사 건물에서는 그의 퇴근을 축하하기라도 하는 듯 폭죽을 터뜨려주었다. 화약의 냄새와 폭발음이 적절히 어우러져 만들어진 찬란하게 빛나는 밤하늘이었다.

집으로 돌아온 김 대리는 곧장 침대 위로 쓰러졌다. 불을 켜지도, 옷, 심지어 양말마저도 벗지 않았다. 절대로 현실이 아니었지만 그 무엇보다 분명한 현실에 지나치게 치인 피로가 김 대리의 신체로 감당할 수 있는 임계점을 훨씬 넘어버린 탓이다. 김 대리의 눈꺼풀은 그 스스로의 의지와는 관계없이 세상의 빛을 차단했고, 그와 동시에 그의 의식은 아득한 저편으로 사라졌다. 그러나 여전히 폭죽 소리가 눈앞에

서 번쩍거리는 듯했다

회색도시 6번가 165번지

속 박 의 굴 레

겨울의 하늘은 그렇다. 이제 막 퇴근을 한 시각임에도 땅거미들은 이미 물러가고 짙푸른 군청의 어둠만이 하늘을 가득 메우고 있다. 교문을 나서 집으로 걸어가는 길, 하늘을 볼 이유는 없다. 어차피 아무것도 보이지 않으니까.

집 근처 골목의 모퉁이에는 그런 겨울의 밤하늘과는 달리 밝게 빛나는 간판이 보인다. 나는 그 편의점의 문을 열고 들어간다. 이 시간쯤은 항상 그렇다. 편의점에서는 소주 세 병과 녹색 봉지의 프레첼 두 봉을 집어 들고는 계산대로 간다.

"삑—"

점원도 나도 별다른 말을 입 밖으로 꺼내지는 않는다.

"카드 꽂아주세요."

라든가,

"봉투에 담아주세요(또는 담아드릴까요)."

같은 의례적인 말조차도 오가지 않는다. 그저 바코드 찍는 소리, 그리고 카드 리더기에 카드를 꽂으면

"완료되었습니다."

하는 포스기의 인공적인 친절함만이 잠시 허공으로 떠올랐다 가라앉을 뿐이다.

편의점의 로고가 크게 인쇄된 검은 비닐봉투를 들고는 골목길을 걸어 계단을 오른다. 이윽고 도어락을 꾹꾹 눌러 집으로 들어간다. 현관의 센서등 뒤로 보이는 짙은 어둠과 냉랭한 공기만이 나를 반긴다. 그나마 밝아졌던 센서등마저도 이내 빛을 잃는다.

현관에서 신발을 벗고 중문을 열어 차가운 어둠 속으로 들어간다. 그러고는 식탁 옆의 스위치를 누른다. 그러면 식탁 바로 위의 어슴푸레한 전등불 하나가 애써 그곳을 밝혀내기 시작한다. 굳이 보일러를 때고 온 집안의 전등을 밝힐 필요가 뭐가 있겠는가. 서른 평형의 이 넓은 집에 고작 나 혼자밖에 없는 것을.

나는 자연스레 편의점에서 사온 비닐봉투를 식탁 위에 올려놓고는 소주잔 하나를 가져와 그 앞에 앉는다. 소주병 하나를 집어 들어 붉은색 뚜껑을 열고는 잔을 가득 채운 뒤 입에 털어 넣었다. 딱히 그 맛이 씁쓸한 줄은 모르겠다. 이

제는 붉은색 뚜껑의 소주를 마셔야만 그나마 술맛이 느껴지는 것 같다. 잔을 내려놓고 검은 비닐봉투를 뒤적거려 녹색의 프레첼 봉투를 꺼내 뜯는다.

'오독'

하고 씹히는 소리가 적막 속에서 시곗바늘 소리와 함께 공허하게 공명한다. 시곗바늘은 19시 30분을 향해 달려가고 있다. 이른 시각이지만 그 일이 있고 난 이후부터는 이 시각쯤엔 저녁 식사보다도 술잔을 먼저 기울이는 게 일상이 되었다. 애초에 밥 생각은 들지 않으니까. 무엇보다도 맨정신으로 있기가 너무 힘들다. 조금도 견딜 수 없을 정도로 말이다. 그러니 조금이라도 일찍 얼큰히 취하여 잠자리에 드는 게 상책이다.

가족, 그리우면서도 미안하고 한편으로는 야속하기도 한 이름이다. 허나 내가 그들을 어떻게 생각하든지 간에 그들은 이제 내 곁에 없다. 그것만이 바뀌지 않는 명백한 진실이며 중요한 사실이다. 그들은 떠났다. 그 일이 있고 난 이후 반년 정도가 더 흘렀을 때쯤이었다.

그쯤의 나는 그 일의 여파로 완전히 침전해 있었다. 담임으로서 책임감, 나 또한 실질적으로는 그 일에 가담한 것과 매한가지였다는 죄책감, 아무것도 할 수 없었다는―혹은 하지 않았다는 무력감, 그러면서도 내가 뭔가 행동을 했었다고 하더라도 과연 결과가 달라졌을까 하는 회의감. 그때의 나는 짊어져야 할 게 너무도 많았다.

물론 가족들도 나의 그런 상황을 이해해주었다. 내가 기운을 차릴 수 있도록 끊임없는 위로를 건네며 나를 품어주었다. 하지만 나의 우울은 그들의 생각보다 훨씬 더 깊고 넓었다. 그리고 어두웠다. 마치 뭐가 있을지 모를 미지의 심해 공간처럼 말이다. 그러니 그들의 위로가 아무리 강렬하면서도 밝게 빛나고 있었대도 그 깊이를 뚫지 못했던 것이리라. 결국 나의 심해는 그들에게로까지 옮겨갔다.

"당신 힘든 거 알아. 다 아는데. 언제까지 이러고만 있을 거야."

지친 아내는 내게 울먹이며 말했었다.

"위로해주고 배려해주는 것도 이젠 지친다."

그게 아내가 내게 마지막으로 남긴 말이었다. 나는 아무런 대꾸도 할 수 없었다. 내 아내라고 해서 언제까지나 가라앉고 있는 나를 품고 살 이유는 없으니까. 그것도 자신의 감정을 희생하면서까지는 더더욱.

아내는 그 길로 짐을 싸 아이들을 데리고 친정으로 떠났다. 물론 그 이후 연락은 닿지 않았다. 정확하게는 서로가 서로에게 굳이 연락을 할 필요성을 느끼지 못했고 그래서 연락을 해보려는 시도조차 하지 않았던 것이지만 말이다. 나는 여유나 여력 따위가 없었고 무엇보다 누구를 그리워할 만한 자격이 없었다. 아내와 자식들도 나름대로 지쳤고 그에 대해서 내 심해만큼이나 깊은 환멸을 느꼈을 테니까.

일이 이렇게 되니 교편도 놓아버린 채 아무것도 하지 않고 숨이 잦아들기만을 기다려볼까 싶기도 했다. 하지만 막상 죽음의 영역으로 들어설 용기는 없었다. 이 비루한 몸뚱어리는 계속해서 내게 생명의 영위를 요구했다. 그리고 나는 그걸 영위해야 한다는 수치스럽고도 비참한 소시민성 때문에 사표나 휴직계를 던질 수가 없었다.

무상한 일이다. 한때는 불과 같은 신념과 열정으로 고민하더니 오히려 농익은 지금에 이르러서는 더 깊고 더 짙은 곳으로 침전해 감에 고민하고 있으니 말이다. 그래, 나도 한때는 꽤나 열정적인 선생이었다. 나름대로의 정의도 있었고, 뚜렷한 신념이나 소명의식도 가진 그런 선생이었단 말이다.

그때의 나는 학생들이 엇나가거나 타락해가는 걸 볼 수 없었다. 내 개인 시간과 비용을 더 써가면서라도 그들이 바른 길로 돌아올 수 있도록 선도하고자 했다. 내가 무슨 성인군자나 현자와 같은 위대한 인물까지는 못되더라도 교편을 잡은 사람으로서 그 소명을 다하고자 함이었다. 또 그렇게 해야 마땅한 일인 줄로만 알았다.

당연히 그 길이 순탄치만은 않았다. 사랑과 애정으로 학생들을 포용하며 좋은 말만 해 이끌어갈 수만 있다면 마냥 좋겠지만 현실은 언제나 좋은 쪽으로만 흘러가지는 않으니까. 그러는 데는 분명 한계가 있었다. 그리고 애석하게도 그 한계는 내 생각보다 더 빠르게 찾아왔다. 결국 학생들에 대한 내 언행의 강도는 점점 강해질 수밖에 없었고 이따금씩 회초리를 들기도 했다. 그러는 경우는 잘 없긴 했지만 필요한 경우 폭언이나 손찌검을 하기도 했다. 학생들이 잘못된 길로 빠져 헤어나지 못하는 것보다는 그게 나으니까. 절대적인 선, 겉보기에는 좋아 보일지 모르겠으나 나는 신이 아니지 않은가. 그렇기에 때로는 악역을 자처하는 것도 필요한 법이다.

심지어 어떤 날은 그런 적도 있었다. 여느 때와 다름없는 한없이 평범한 날. 학교 인근 공터에서 우리 학교의 학생들이 무리를 지어 담배를 피우고 있다는 제보가 들어왔다. 마침 그때가 공강이었기에 선생된 입장으로서 그들을 계도하러 가지 않을 수가 없었다. 대략 10분 정도를 쉬지 않고 달려갔을까. 멀찍이 공터가 보이기 시작했고 우리 학생들이 오토바이를 세워두고 옆 학교의 여학생들과 무리를 지어 담배를 피우고 있던 것이다. 얼마나 많은 담배를 태운 건지 공터의 근처에만 가도 담배 냄새가 진동을 했고 그들이 쭈그리고 앉아 있던 자리에는 이루 말할 수도 없을 정도의 꽁초와 담뱃재, 담뱃갑 등이 가래침과 엉겨붙은 채로 나뒹굴고 있었다.

그 모습을 본 나는 호통을 치며 그들에게 달려갔다. 물론 그들은 꿈쩍도 하지 않았지만 말이다. 그들이 움직이기 시작한 건 내가 그들의 면전에 대고 훈계를 하기 시작했을 때부터다. 그제서야 그들은 슬금슬금 일어나 내 말을 조금 듣는 시늉을 하더니 이내 내 얼굴에 담배 연기를 뿜었다.

그래, 바로 이런 때다. 이런 때야말로 선해서는 안 될 때. 나는 그 즉시 그 학생의 담배를 빼앗아 밟아 끄고는 손을 올렸다. 학생은 내게 맞은 뺨을 부여잡고 잠시 휘청인 뒤, 어이가 없다는 듯 웃음 지었다. 그러고는 다시 내게로 다가와 나를 노려보더니 이내 내 발을 걸어 넘어뜨렸다. 대응할 사이도 없이 나는 땅바닥으로 고꾸라졌고 그 이후는 사실 잘 기억이 나지 않는다. 워낙 정신이 없었으니까. 아마 그들이 쓰러져 있는 나를 한 번씩 걷어차고는 오토바이를 타고 자리를 떴던 것 같다. 당연한 결과이긴 하다. 그때의 내가 제아무리 젊고 힘이 왕성했다고 한들 어찌 혼자서 장성한 고등학생 여럿을 제압할 수 있었겠는가. 다만 그때의 나는 그럼에도 내가 그들에게 한마디라도 훈계를 하면 조금이나마 변화를 줄 수 있지 않을까, 적어도 그 순간만큼은 그들이 나쁜 짓거리를 하지 않지 않을까 싶었던 것뿐이다. 다른 곳으로 자리를 옮겨 또 비행하지 않겠느냐고 한다면 딱히 할 말은 없다. 다만 적어도 그 순간만큼은 멈출 수 있었으니 그걸로 됐다고 말할 수밖에.

그 가련한 아이들의 교사 폭행 사건은 생각보다 빠르게 퍼져나갔다. 그도 그럴 것이 다음 수업을 위해 학교로 돌아온 내가 흙투성이가 되어 있었으니 어쩌면 지극히 자연스러운 일이었을지도 모르겠다. 거기에 더해 그들이 타고 다니던 오토바이가 훔친 오토바이였다는 사실까지 밝혀지면서 그 아이들이 감당하기 어렵겠다 싶을 정도로 파장이 일기 시작했다. 경찰이 움직이기 시작했고 학교에서는 그런 문제아들을 당장 퇴학시켜야 한다며 난리였다. 이에 나는

"그 아이들이 무슨 문제가 있겠습니까. 그 아이들을 제대로 가르치지 못한 그 부모와 선생의 문제이며, 우리 어른들의 문제, 그리고 그렇게 자라날 수밖에 없도록 만든 세상이 문제죠"

하며 그들을 다시 한번 잘 다독여 보겠다고 말했다.

"그들을 퇴학시킨다고 해서 더 나아질 것은 없습니다. 오히려 우리 어른들에 의해 무책임하게 사회로 내버려진 그들은 더 큰 문제를 일으킬 것입니다. 그들이 그렇게 망가지는 걸 두고 볼 수만은 없습니다."

라는 말도 덧붙였다.

그날 나는 퇴근길로 곧장 오토바이 주인들을 만나 허리를 숙여가며 학생들의 용서를 구했다. 다행히 그 주인분들은

"아이고, 선생님께서 직접 이리 오셔서 다시 잘 가르치시겠다고 용서를 구하시니 그걸 뿌리칠 수가 없겠습니다. 질 나쁜 학생들 때문에 선생님께서 고생이 많으십니다."

하며 관용을 베풀어주셨다.

"아닙니다. 질 나쁜 학생들이 아닌 배움이 조금 부족한 가련한 학생들일 뿐입니다. 아무쪼록 어르신들께서 이렇게 용서를 베풀어주시니 그저 감사할 따름입니다. 학생들이 더 나쁜 길로 빠지지 않도록 잘 계도하겠습니다."

하고 대답했다. 그러자 오토바이의 주인되는 어르신들께서는 허허 웃으시며,

"이런 좋은 선생님을 둔 학생들은 참 복 받은 것 같습니다. 학생들이 선생님의 그런 마음을 반이나마 이해할 수 있

으면 좋으련만……."

하고 말씀해주셨다.

오토바이 건이 잘 해결됐다고 모든 게 끝난 건 아니지만 그래도 한시름을 던 순간이었다. 하나의 문제를 해결한 나는 숨 돌릴 틈도 없이 관할 경찰서로 달려갔다. 절도 피해의 당사자인 오토바이 주인분들과 폭행 피해자인 나의 용서를 들고 경찰관들에게 잘 이야기해 본다면 그 아이들의 처벌을 막을 수 있지 않을까, 그리고 그들의 형사 처벌을 잘 막아낸다면 어찌저찌 퇴학 처분도 면할 수 있지 않을까 하는 생각 때문이었다.

다행히 내가 가서 사정한 결과 경찰관들도 그를 애석하게 여겨 간단한 훈계만으로 무마할 수 있었다. 이후 나는 경찰서에서 나와 그 학생들에게 조금의 훈계와 경고를 더한 뒤 집으로 돌려보냈다. 그러나 내 손이 닿는 건 딱 거기까지였다. 그들은 징계위원회에 회부되었고 내 오랜 변론 끝에도 그들의 퇴학을 막을 수는 없었다.

"그 아이들의 행동은 학교에서 계도할 수 있는 수준을 이미 넘어선 행동입니다. 또한 그런 질 나쁜 아이들을 이끌고 가기에는 나머지 학생들도 영향을 받아 비행을 할까 걱정됩니다."

라는 게 나를 제외한 모든 선생님들의 의견이었다. 그때의 나는 그들에게 있어 그저 '속없는 사람', 혹은 '젊음의 패기를 누르지 못한 이상주의자' 정도에 불과했던 것 같다. 그래도 나는 타인으로부터의 그런 평판이 마냥 나쁘게만 느껴지지는 않았다. 현실적 제약에도 불구하고 나만의 정의, 나만의 교직 신념을 저버리지 않고 있다는 방증이니까. 그리고 그 덕분에 주변의 선생님들, 학생들, 그리고 그들의 부모들에게까지도 인정받는 그런 교사가 될 수 있었으니까. 사실 지금의 아내와도 그때 인연이 닿았던 것이니 나쁘게 느껴질 이유가 뭐가 있었겠는가.

다만 그건 어디까지나 내가 젊었을 때의 이야기다. 나도 어느 정도 연차가 쌓이고 내 나이가 중년으로 접어들 무렵, 내 모습이 변해가는 것과 같이 세상도 함께 변해갔다. 오직 나만이 그때의 시간 속에 고착되어 머물러 있던 것이다. 비로소 시간의 무서움을 실감했다.

앞서 말했다시피 난 크게 변한 게 없었다. 그저 학생들을 바른길로 이끌기 위해 노력했다. 잘못된 게 있으면 타이르고 독려해가며 학생들을 이끌었다. 그걸로도 부족한 학생이다 싶을 경우 여전히 회초리를 들거나 강도를 높여 학생들을 훈육했으며 그 과정에서 폭언이나 욕설, 때로는 손찌검

이 일어나기도 했다. 내가 한창이던 시절엔 그게 관행이었으니까. 학생들도, 선생들도, 학부모들도 모두 그렇게 하는 게 옳은 일인 줄로만 알았으니까. 심지어 학생의 문제가 심각한 경우 학부모들까지도 학교에 불려와 훈계를 듣고 가기도 했었다. 그러나 어느 누구도 자신을 오라 가라 하는 선생을 보고 교만하다거나 주제를 모른다는 둥 욕하고 불평하지 않았다. 그들은 오히려 교사의 그런 조치에 대해 잘 이끌어주신다며 고마워했다. 불만을 늘어놓는 이들이 있다면 그건 자신의 자식이 잘못 행동한 것에 대한 부끄러움, 단지 거기에서부터 나온 불평이었다.

이제는 학생들을 혼내면 부모들이 알아서 학교로 찾아와주었다. 물론 내가 학생의 문제로 그들을 불러냈을 때와는 사뭇 다른 분위기였지만 말이다. 그 상황 속에서 내가 할 수 있는 건 그들에게 현재 학생의 문제를 이야기하며 가정에서의 교육을 당부하는 그런 게 아니었다. 교무실의 문을 벌컥 열어제끼고는 다짜고짜

"담임 누구야? 담임 나와!"

라며 교무실이 터져나가도록 언성을 높이는 학부모에게

"예, 제가 그 학생 담임입니다."

하고 나가서는

"당신이 뭔데 우리 애를 그런 식으로 대해? 그러고도 당신이 선생이야?"

로 시작하는 삿대질을 당해야만 했었다. 내 나름대로의 변론 거리가 착실하게 준비되어 있긴 했었지만 내가 기대했던 것과는 달리 그들은 말이 통하는 상대가 아니었다. 내가 나의 말을 할수록 그들의 언어는 거칠어졌고 딱 그 정도만큼의 물건이 날아들기도 했다. 예상치 못한 거대한 소란에 교무실에 있던 다른 선생들은 물론이고 복도를 지나가던 학생, 심지어 교감과 교장까지 뛰쳐나와 그들에게 진정을 요구했다. 그 또한 별 도움이 되어주지는 못했지만 말이다. 불보듯 뻔한 일이었을지 모른다. 애당초 말이 통할 만한 부모였다면 교무실로 달려와 이 사달을 내지는 않았을 테니까.

그들의 요구는 명확하면서도 간단했다. 첫 번째는 피해 학생과 학부모—사실상 피해자는 내가 되어야겠지만 그들의 입장에서는 그걸 허용해줄 수 없었나 보다—에 대한 교장, 교감, 피의 교사의 진심어린 사과. 두 번째는 피의 교사의 징계.

나는 내가 한 행동이 떳떳했기에 그런 같잖은 요구를 들어줄 이유가 없다고 말하고 싶었으나 내게 발언권은 없었다. 더욱이 떳떳했던 나와는 달리 나의 상사인 교장과 교감은

그러지 못했다. 정확히 말해서는 그럴 수가 없었던 거겠지. 그들은 고개를 떨군 채

"죄송합니다. 저희 교사가 학생을 지도하는 과정에서 실수가 있었던 것 같습니다. 부디 용서해주시기 바랍니다."

하며 연거푸 문제의 학생과 그들의 부모에게 고개를 숙였다. 그러면서도 기어코 나를 짓눌러 허리를 숙이게 했다. 다행히 징계위원회에까지 회부되지는 않았지만 나는 그렇게 죄인들 앞에서 죄인이 되어야만 했다.

그 이후로 그들은 더욱 의기양양해졌고 나는 작아져만 갔다. 더 이상 내게는 학생들을 통제할 만한 권위가 남아 있지 않았던 것이다. 수업 분위기는 용인해줄 수 있는 범위를 넘어 점점 추락해갔다. 처음에는 그 문제의 학생들로부터 점차 다른 학생에게까지로, 수업시간에 눈을 뜨고 있거나 교과서를 가지고 온 학생들이 단 한둘이라도 있으면 그 수업은 성공적인 수업이라고 부를 만한 정도였으니까. 학교의 정규 수업시간이 이래서는 안 될 일이다. 그래도 참아야 한다며 꾹꾹 눌러 담으며 애써 외면해보려 했다. 하지만 그들의 행동은 아무리 넓은 마음으로 보더라도 정도를 많이 넘어서 있었다. 여러모로 고민이 되었지만 결국 다시 회초리를 들 수밖에 없었다.

이미 아무런 힘도 없는 만만한 선생으로 낙인찍힌 내게는 그마저도 뜻대로 되지 않았기에 그들을 직접 붙들어둔 뒤에나 회초리를 휘갈길 수 있었다. 결국 그 행동이 또다시 문제를 만들었지만 말이다. 한 학생이 그 모습을 동영상으로 촬영하여 인터넷에 올림과 동시에 경찰에 신고해버린 것이다. 영상 속에서는 일부분이 절묘하게 가려져 그들을 붙잡기 위해 올렸던 왼손이 그들을 때리고자 손을 올린 모양으로 찍혀 있었다. 그러면서도 오른손으로는 회초리를 가지고 매몰차게 그들을 때리고 있던 것이다.

학교로 경찰차가 한 대 들어오더니 이내 두 명의 젊은 경찰관이 교실로 들이닥쳤다. 그렇게 나는 현장에서 경찰서로 연행되었다. 서로 가자는 경찰들의 말에 저항을 하지는 못했다. 그들이 나를 강압적으로 제압했다거나 어떤 두려움 때문에 그랬던 건 아니고, 단지 그 상황을 이해할 시간이 필요했던 것이다.

경찰서에 도착하자 경찰관들이 간단히 내 신상을 묻고는 비로소 상황을 설명해주기 시작했다.

"학생으로부터 폭행 신고가 들어왔습니다."

"아무리 그래도 수업시간에 그렇게 들이닥치는 게 말이 됩니까? 그리고 그게 어떻게 폭행입니까. 저는 훈계를 한 것뿐입니다."

하고 항변해봤으나 소용없었다. 세상은 그렇게 변했으니까.

"선생님, 진정하시고 일단 신고를 받은 입장에서 출동을 하지 않을 수가 없었습니다. 게다가 신고자가 제출한 동영상을 보시면 아시겠지만 이건 저희가 봐도 정도가 좀 심합니다."

하며 내 입을 막았다. 그리고 그들은

"선생님께서 나쁜 의도를 가지고 학생을 폭행하신 게 아닌 것도 알고, 실질적으로 학생이 상해를 입은 것도 아니기에 잠깐 쉬고 계셨다가 선생님의 신원을 보증해주실 분이 오시면 확인 후 돌아가시면 됩니다."

하고 선심 쓰듯 말해주었다. 나는 그저 답답하기만 했다. 아무리 세상이 변했다고 한들, 잘못된 길을 가는 아이들을 계도할 생각은 아무도 하지 않는다는 게 있을 수 있는 일인가 싶었다. 아이들이 사회적 처벌을 받지 않게 보호해야 하는 건 맞지만 지금은 그저 방치하고 있을 뿐이지 않은가. 게다가 그들을 바로잡아주려는 나를 오히려 연행해 오다니…….

그렇게 잠시 유치장 벽에 기대어 있다 보니 교감 선생님께서 경찰서로 오셨다. 그러고는 경찰관들과 몇 마디를 나누더니 경찰관들은 곧바로 유치장의 문을 열어 귀가하면 된다고 말해주었다. 나는 교감 선생님을 따라 말없이 걸었다. 교감 선생님께서도 별다른 말씀을 하지는 않으셨다. 나는 말을 잃었고, 교감 선생님께서는 하실 말씀이 너무 많아 그걸 입 밖으로 꺼내시지 못하는 거였으리라.

교감 선생님께서는 나를 경찰서 근처의 국밥집으로 이끌었고 내게 돼지국밥 한 그릇을 사주셨다.

"들게나."

건조한 한 마디. 나는 고개를 숙이고 어깨를 말아둔 채,

"예, 감사합니다."

하며 숟가락을 들었다. 내 방법이 조금 과격한 건 맞지만 그렇대도 그 아이들이 타락해만 가는 것을 보고만 있으란 말인가. 한숨만 새어 나왔다. 그리고 한숨이 새어 나올수록 내 몸 안의 무언가, 그러니까 나를 구성하고 있던 어떤 것들이 그것과 함께 빠져나오는 기분이었다.

"이봐, 김 선생. 자네가 깡패인가."

내가 첫술을 뜨는 걸 보고 교감 선생님께서는 안타깝다는 듯 입을 여셨다.

"요즘 세상이 어떤 세상인데 아직도 학생들에게 욕지거리를 하고 손을 올리나. 세상이 변하면 사람도 변해야 하는

걸세."

그러고는 한숨을 깊게 내쉰 뒤,

"그래, 내 자네 마음 다 이해하지. 나도 한때는 그런 때가 있었고 그런 세상에 있었으니 말일세. 허나 모든 게 마음대로 되는 게 아니야. 자네도 알지 않는가. 우리 같은 사람들은 그저 평이하게, 딱 해야 할 일들만 하면서 가늘고 길게 가는 게 상책이야. 요즘 같은 세상 속에서 우리 같은 선생들이 무슨 대단한 일을 할 수 있겠는가."

교감 선생님의 말씀이 끝나자 잠시간 무거운 침묵이 흘렀다. 고작 몇 초의 시간이었겠지만 내게는 그 시간이 꽤 길게만 느껴졌다. 먼저 정적을 깬 것은 교감 선생님이셨다.

"그럼 나는 이만 일어나보겠네. 오늘 욕 봤으니 다시 학교로 올 필요는 없네. 다 먹으면 집에 가서 좀 쉬게나."

교감 선생님께서는 그렇게 말씀하시며 자리에서 일어나셨다. 이젠 내 곁에는 정말 아무도 없는 것 같았다. 분주한 점심 시간대의 식당 속에서 덩그러니 앉아 있던 나였지만 나는 그저 무한한 정적 속에 있는 것 같은 기분이었다. 숟가락을 더 들지는 않았다. 그냥 멍하니 앉아만 있다가 뚝배기의 온기가 대부분 사라졌을 때쯤 식당을 나왔던 것 같다. 나는 그 길로 집에 가 다음날 출근 시간까지 잠을 청했다.

달리 할 게 있는 것도 아니었고 아무런 생각도 하지 않을 시간이 필요했었다.

　다음날 출근을 해보니 곧바로 징계위원회가 열렸다. 그곳에서도 나는 별 말을 하지 않았다. 경찰서까지 다녀온 몸이니 어차피 징계를 피할 수는 없었겠지. 또, 내가 뭔가 말을 한다고 해서　달라질 수 있는 게 없음을 그동안 여실 없이 느꼈지 않았던가. 결과는 1개월 감봉의 경징계. 그래, 꽤 만족스러운 결과다. 적어도 내 밥통은 지킬 수 있었으니까.

　아마 그때부터였을 거다. 무언가를 해야겠다는 의지가 사라진 게 말이다. 학생들의 일에 더는 관여하지 않았다. 물론 수업시간에도 마찬가지였다. 그들의 태도나 언행 따위가 어떻든 그건 내가 알 바가 아니었다. 자면 자는 대로, 떠들면 떠드는 대로 나는 내 할 일을 하면 될 일이었다. 교편을 잡는 일은 이제 돈을 벌어다 주는 수단, 단지 그뿐이었으니까. 신념이니 뭐니 하는 것들을 논할 이유는 없었다. 이 세상에서 내 신념은 객기에 불과했으니까. 나를 위해, 내 가족들을 위해, 정년이 보장되어 있고 적지 않은 급여가 나오는, 그리고 종래에는 우리의 노후까지도 보장해줄 연금이 지급되는 이 안락한 일자리 속에서 등 따습고 배부른 생활을 영위하기만 하면 된다. 모두가 바라는 그 행복을 굳이 걷어차고

폭풍의 한 가운데로 나설 필요는 없는 것이다.

한동안은 주변에 무관심한 삶을 사는 게 쉽지는 않았지만 인간은 적응의 동물이라고 하지 않았던가. 그 간사한 속성 때문인지, 몇 차례 뒤통수를 맞았다는 것에 대한 교육 효과 때문인지, 나도 어느새 그 안락함에 길들여져 갔다.

그 아이가 찾아왔던 그날도 나는 늘 그랬듯 교무실의 의자를 한껏 뒤로 젖힌 채 몸을 파묻고는 퇴근 직전의 안락함을 만끽하고 있었다. 그 아이는 조심스레 교무실 문을 열고 들어와

"선생님, 죄송하지만 상담을 해주실 수 있으신가요?"

하고 소심하게 말했다. 나는 그런 그 아이의 요청에

"지금은 시간도 늦었으니 다음에 하지?"

하고 퉁명스럽게 대답했었다. 퇴근을 고작 몇 분 앞두고 있던 시각이었기에 다른 무엇보다 성가심이 앞섰던 탓이다.

"지금이 아니면 안 될 것 같아요."

그러나 그 아이는 내 눈치를 보면서도 집요하게 나를 붙잡았었다. 대충 무엇 때문에 날 찾아왔는지 예상이 가긴 했다. 정확히 알고 있었다고 할 정도로 그 아이의 문제는 명확했으니까.

내가 담임을 맡고 있던 반에 속했던 아이. 체구는 좀 왜소

한 편이었지만 활발하고 긍정적이던 아이였다. 그러나 어느 시점부터 그 아이의 얼굴에 그림자가 짙어지기 시작했었다. 그 무렵부터 항상 붙어 다니던 친구와도 거리가 생긴 것 같았다. 교실 끝 창가 쪽에 앉아서 반 분위기를 흐트리던 그 문제아 녀석 때문이었겠지. 예전 같았으면 그 아이를 정성껏 위로해주고 걱정하지 말라며 자그마한 간식거리라도 쥐여준 뒤 그 아이를 돌려보냈을 것이다. 그런 다음 문제의 학생이 등교하기 무섭게 교무실로 불러내어 오랫동안 상담하고 훈계했을 것이다. 문제가 해결될 때까지 지속적이고 집요하게 말이다. 하지만 이미 나는 다른 사람이 되어 있지 않았던가.

그래도 나는 의지를 내어 짤막하게 한숨을 내뱉으며 자리에서 일어났다. 아무리 그래도 소매를 잡고 늘어지는 학생을 매몰차게 무시해버릴 수는 없었다. '직업 교사'라도 교사는 교사였고 그 전에 이미 한 명의 인간이었으니까.

"상담실로 가자꾸나."

나는 그 아이를 이끌고 교무실 한켠으로 난 작은 문을 통해 상담실로 향했다. 이후 학생을 자리에 앉히고는 간단한 다과를 내어주며 그 맞은편에 앉았다.

"그래, 어떤 고민 거리가 있니?"

나는 최대한 친절하면서도 다정한 목소리로 그 아이에게 물었다. 그 아이는 한참 쭈뼛거리며 눈치를 보더니 이내 조금씩 입을 열었다. 역시 문제는 예상했던 내용 그대로였다. 내가 생각했던 그 학생이 자기를 괴롭힌다는 것, 그리고 그 괴롭힘의 수위가 점차 높아지고 있다는 것. 아무리 예상을 했었다고 해서 그 문제를 어떻게 해결하느냐가 고민스럽지 않을 수는 없었지만 말이다.

문제의 근본적인 해결을 위해서는 해당 안건을 학폭위에 회부하여 진상을 파악한 뒤, 징계 절차를 거쳐 피의 학생을 징계하면 간단히 해결될 문제였다. 다만 그렇게 될 경우 내가 해야 할 업무량이 늘어난다는 큰 단점이 있었다. 그 수많은 면담과 서류 작성 소요는 어떻게 해결한단 말인가. 그래서 나는 조금 돌아가는 길을 택했었다. 조금 돌아간다고 해서 잘못된 길을 가는 건 아니며, 충분히 대응책을 강구해 봤음에도 불구하고 해결되는 게 없다면 그때 가서 강경책을 꺼내들어도 늦지 않을 거라 생각했었다.

"고민이 많았겠구나."

그 아이의 고민을 다 들은 나는 먼저 안타깝다는 표정을 지으며 위로의 말을 건넸다. 그러고는

"이 선생님은 네 편이란다."

하고 말해주며 내가 자신의 든든한 배후가 되어줄 수 있다는 믿음을 심어주었다. 자, 이렇게 기본적인 절차는 모두 끝났다. 이제는 그 아이에게 해결책을 제시해준 뒤, 돌려보내면 될 것이다. 며칠을 지켜보다가 차도가 있다면 다행이고 그래도 문제가 이어진다면 그때 또 조언해주면 될 테니까.

"그런데 그 학생과는 이야기를 나눠봤니?"

"아니요."

나는 그 아이의 대답에 미간을 살짝 찌푸리며 신중히 고민하고 있는 듯한 표정을 지었었다.

"그럼 그 학생에게 거부의사를 명확하게 드러내봤니?"

"……아니요."

그 아이는 이번에도 한참 뜸을 들이다가 같은 대답을 꺼내놓았다.

"그렇담 선생님이 보기에는 그 아이와 먼저 진지하게 대화를 해보는 게 좋을 것 같은데."

"하지만 말이 통하지 않는 걸요."

그 아이는 답답하다는 듯 대답했다.

"그러면 우선 싫다는 너의 의사를 명확하게 전달하는 게 필요할 것 같구나."

내가 한걸음 더 나아가 조언을 하니 이번에는 별다른 대답이 없었다.

"때로는 자기 의사를 명확하게 전달할 줄도 알아야 하고, 저항이 필요할 땐 저항해볼 필요도 있단다. 물론 그런 학생에게 저항한다는 게 두려울 수도 있겠지. 그렇다고 해서 가만히 앉아만 있으면 달라지는 게 있을까?"

"네, 알겠습니다."

그 아이는 그렇게 대답했다. 이에 나는

"그래, 이 선생님은 네가 잘 판단할 수 있을 거라 생각한다."

하며 말을 덧붙였다. 그 아이는 이번에도 짧게 대답한 뒤 고개를 숙여 인사를 하고는 터벅터벅 걸어 상담실을 나갔다.

"원래 여러 학생들과 어울리다 보면 갈등도 생기고 그러는 거다. 너무 주눅들지 말고 기운 내라. 또 힘든 일이 생기면 언제든 찾아오고."

나는 그 아이의 뒤를 보며 한마디를 더 던졌다. 학생의 처진 어깨에 조금이나마 기운을 불어넣었으면 하는 마음에서였다. 그 아이가 나가고 발걸음 소리도 완전히 멀어진 걸 확인한 다음 나도 자리에서 일어났다. 지금 생각하면 참으로 졸렬한 짓거리였다. 내게 용기를 내 도움을 요청한 아이에게 되지도 않는 알량한 조언만을 툭 던져놓고 돌려보내다니…….

잘 풀릴 수가 없는 문제. 그래서인가 결과는 불과 며칠도 지나지 않아 작은 폭풍―이것도 그 일에 비하면 나비의 날갯짓에 불과한 일이었지만―을 몰고 왔다. 결국 두 아이가 주먹다짐을 한 것이다.

'젠장, 또 성가셔지겠군.'

그나마 다행인 것은 학생 주임 선생님께서 두 학생을 잘 타일렀으니 한 번씩 면담만 해주면 될 것 같다는 거였다. 나는 그 말을 방패로 삼아 그저 안심하고 있었다. 사실은 그렇게 넘겨서는 안 될 일이라는 걸, 안심할 상황이 아니라는 걸 알면서도 말이다. 학생 주임도 나와 같은, 어쩌면 나보다 더한 '직업 교사'였기 때문이다. 그는 내가 이렇게 되기 이전부터 그런 상태였다. 어쩌면 사범학교에 재학 중이던 시절부터 그런 생각을 품고 있었는지도 모르겠다. 지금까지 봐온 그의 모습이 내게는 그렇게 비쳤었으니까.

지금 다시 생각해봐도, 이미 똑같은 생각을 수십 번 되뇌었다고 해도 결과는 달라지지 않았다. 그 아이는 내가 그렇게 만든 것이다. 그 아이가 계단을 오를 때, 그 계단의 수만큼 나를 생각했을 것이다. 그러면서도 그 아이가 오른 높이만큼 나를 증오했을 것이다. 끝을 알 수 없는 광활한 하늘 위에서 말이다. 그리고 이내 그 모든 것이 부질없음을 깨달았으리라. 그래서 아무런 미련 없이 몸을 던질 수 있었던 거겠지. 그래, 그 아이의 말마따나 자유로워지기 위해서.

얼마나 두려웠을까. 내가 만들어준 그 아이의 심해는 지금 내가 침전하고 있는 심해와는 비교할 수도 없을 정도로 깊고 어두웠을 것이다. 내가 그 아이에게로 좀 더 손을 뻗어냈다면 그 아이가 더 이상 깊은 곳으로 빠져들지 않을 수 있었을까. 매번 자문해보지만 단 한 번도 명확한 답을 내릴 수가 없었다.

당연히 그 아이를 보내주는 그 자리에는 가지 못했다. 내가, 이런 나 따위가 무슨 낯짝으로 거길 가서 눈물 흘릴 수 있으랴. 대신 그 아이의 부모님을 찾아가 무릎을 꿇고 사죄드렸다. 눈물을 흘리며 몇 번이고, 몇 시간이고 죄송하다는 말을 했었는지 모르겠다. 그런 나를 보신 아이의 부모님은 오히려 당황하시며 괜찮다 해주셨지만…… 도대체 뭐가 괜찮다는 말인가. 이미 그 가련한 아이는 이곳에 없는 것을. 그래, 그때의 내 속죄도 무슨 의미가 있었겠는가. 그저 죄책감을 덜기 위한 비겁한 수였을 뿐이지.

셔츠의 가슴 주머니에 곱게 접어 넣어두었던 종이 한 장을 오늘도 꺼내 본다. 벌벌 떨리는 손으로 쓴 흔들리는 필체, 눈물 자욱에 번져버린 잉크. 그때의 감정이 고스란히 들어간 그 아이의 마지막 전언. 그 아이의 부모님이 태워버리려던 걸 애써 요청하여 가져온 것이다. 적어도 기억해줄 사람은 있어야 하니까. 그 아이가 자신이 원했던 진정한 자유의 정도만큼 속박되는 사람도 있어야 할 테니까. 그게 아마도 내가 할 수 있는 유일한 사죄일 테니까.

왼손에 그 아이의 마지막이 담긴 그 종이를 쥔 채 오른손으로는 한 번 더 술병을 집어 들어 잔에 기울인다. 병을 완전히 거꾸로 뒤집어 털어봐도 단 몇 방울조차 떨어지지 않는다.

"술을 더 사 와야겠구나."

나는 왼손에 들고 있던 종이를 고이 접어 셔츠 가슴 주머니에 도로 넣었다. 그러고는 뜨거워진 몸을 일으켜 집을 나섰다. 오늘도 세상은 빙글거리며 잘만 돌아가는데 왜 나만은 그 시간 속에 멈춰있는 것일까

●

회색도시 7번가 195번지
마 지 막　　점

엘리베이터 한 대조차 설치되어 있지 않은 작고 허름한 사무실 계단을 요란하게 울리며 올라오는 발걸음 소리가 들린다. 이윽고 그 소리는 문 앞에서 멈춘다.

'쿵―쿵―쿵―'

짧게 세 번 두드리고 문을 연다. 문 안쪽에서는 아무도 대답을 하지 않았지만 그는 아랑곳하지 않았다. 수년째 이어져 오는 자연스러운 일이니까. 늘 그랬듯이 현관문을 열 뿐이다. 문이 열리면 가장 먼저 느껴지는 건 역시 아무런 인테리어조차 되어 있지 않은 시멘트만으로 둘러싸인 좁다란 사무실. 그리고 그곳을 가득 채우는 키보드 소리일 것이다. 규칙적인 듯 불규칙한 그 플라스틱 마찰음은 어딘지 모를 답답함을 선사한다. 그런 소음 아래로 대여섯 대의 컴퓨터와 그 앞을 지키는 사람들, 마지막으로 문 바로 옆 작은 프린트가 눈에 들어온다.

프런트에 앉은 경리는 계속 자기 눈앞의 컴퓨터만을 응시한 채 키보드를 두드리고 있을 뿐, 문이 열렸다는 사실에는 관심이 없는 듯하다.

"우편이요."

문을 열고 들어온 남성의 건조한 목소리가 들리자 비로소 경리는 눈동자만을 들어 남성을 본 뒤 건성으로 목례를 한다.

"위에 올려놓으시면 돼요."

집배원으로 보이는 남성은 누런 서류 봉투 하나를 프런트 위에 올려놓고는

"수고하세요."

지나칠 정도로 발음이 흐리고 빨라 내가 제대로 들었는지는 모르겠지만, 어쨌든 그런 류의 의례적인 말을 남긴 채 다시 계단을 울리며 돌아갔다. 모든 게 전산화된 세상임에도 굳이 이 작은 출판사에 우편물이 왔다는 게 의아하게 느껴질 수도 있겠다. 그러나 이 사무실에서는 그 누구도 우편물의 발송처 따위를 궁금해하는 이는 없었다. 그저 나 혼자만이

'올 게 왔구나.'

하는 생각으로 자리에서 일어나 우편물을 가지러 갈 뿐이

다.

"가져갈게요."

나는 프런트에 놓인 우편물을 집어 들어 발송인과 수신인을 확인하며 경리에게 말했다.

"네."

경리 또한 계속 키보드만을 두드리며 대답한다. 우리 둘 다 눈을 맞추지는 않는다. 사무실에서는 심플하게 자신의 일만을 처리하면 될 일이다. 불필요하고 군더더기 있는 관행으로 업무의 흐름을 끊는 건 서로에게 유쾌한 일은 아닐 테니까.

"또 그 영감님이야?"

발송인을 확인하며 자리로 돌아가고 있는 내게 사장이 물었다.

"네, 그렇죠, 뭐."

서류 봉투를 들어 사장님께 보여드리며 어깨를 으쓱하고는 자리에 앉았다.

"에휴, 그 영감도 참, 그렇게 우편으로 보내지 말고 메일로 보내라고 해도 고집이야 고집이……."

사장이 언짢다는 듯 빈정거리는 말투로 말했다.

"그 영감님이야 늘 그러셨으니까요."

나도 짧게 한숨을 내뱉으며 사장의 감정에 동조해줬다. 이윽고 자리에 앉아 서류 봉투를 열어보았다. 봉투 안에는 손때 묻은 원고지 여러 뭉텅이와 쪽지가 하나 들어 있었다.

「*안녕하세요, 담당자 선생님.*
오랜만에 글을 보냅니다. 내 이번에는
그간 모아두었던 원고들을 엮어
단편집을 하나 내보려고 합니다.
한번 읽어보시고 아래 번호로 연락주셔요」

줄이 없는 메모지였음에도 불구하고 삐뚤어지는 부분 없이 일정한 자간과 행간, 필압으로 쓰인 깔끔한 글씨다. 원고지를 확인해보니 꽤나 두꺼운 200자 원고지 뭉치가 열 개 남짓하게 들어있었다. 원고지에도 한 칸, 한 칸 간격을 맞춰 정성스럽게 글자를 새겨 넣었다. 항상 투박한 만년필로 글을 쓰면서도 잉크의 양을 조절하지 못해 글자가 울거나 잉크 자체가 번져 있는 모습을 용납하지 않았다. 퇴고를 할 때도 마찬가지다. 적절한 교정부호를 사용하고 삭선 하나를 그을 때도 한 치의 흐트러짐 없이 적절한 길이만큼만 그어둔다. 때문에 군데군데 교정부호가 박혀 있는 원고를 보아도 지저분하다거나 눈이 어지럽다는 생각을 해본 적이 없다. 그만큼 단 한 편의 이야기, 그리고 그를 이루는 단 하나의 글자에도 모든 정성을 아낌없이 들인다는 뜻이리라. 그래서일까, 다른 직원들은 작가님의 원고가 우편으로 올 때면 한숨부터 내쉬는 게 보통이지만 나는 작가님의 원고를 보고 있노라면 답답했던 마음이 편안히 가라앉는 기분이었다.

나는 몇 편의 원고를 빠르게 훑어보고 사장에게 향했다.

"사장님, 이거 바로 진행할까요?"

내 물음에 사장은 흘긋 나를 올려다보더니

"그래, 그 양반 거 귀찮아서 그렇지 우리 출판사에 들어오는 원고들치고는 꽤 괜찮으니까."

"네, 그러면 읽어보고 계획서 작성해서 올리겠습니다."

"그래, 편집회의는 또 그 영감님 집으로 찾아갈 생각인가?"

"아무래도 그래야겠죠. 전화로는 어렵고 메일은 사용을 안 하시니까요."

사장은 질린다는 표정으로 한숨을 푹 내쉰 다음 말을 이었다.

"그래, 그렇게 하지. 그런데 이번만이야. 다음 원고부터는 전산화해서 보내주지 않으면 얄짤없을 거라고 확실히 전하게."

"네, 이번에 가서는 확실히 전하고 오겠습니다."

나는 자리로 돌아와 작가님의 원고를 훑어보며 타이핑을 시작했다.

작업의 끝이 보이기 시작한 것은 그로부터 며칠이나 지난 후였다. 타이핑해야 할 원고의 분량도 분량이었지만 수정이 필요해 보이는 부분이나 마케팅 포인트까지도 체크를 해두어야 했던 탓이다.

그러고 보면 이 작가님은 참 이상한 사람이다. 내가 그분을 알게 된 지도 벌써 두 자릿수의 해가 훌쩍 넘어갈 정도인데도 여전히 잘 모르겠다.

작가님은 우리 출판사에서 주최하는 신인상 공모전을 통해 등단하신 이래로 지금까지 꾸준히 글을 써오신 분이다. 그간 참 많은 작품을 쓰셨고 그만큼 적지 않은 수의 책을 내셨다. 글을 쓰는 기법이 그리 화려하거나 자극적인 건 아니나 그 특유의 문체가 정갈하고 담백하여 보기에 불편함이 없다. 오히려 그 글을 보다 보면 무언가 빠져드는 묘한 매력까지 있다. 그래서일까, 생각 외로 많은 사람들이 작가님의 책을 찾아주었고 덕분에 책을 내고자 하는 무명작가들로부터 출판 비용을 받아 부족한 매출을 메우기 바빴던 우리 출판사도 안정화 되어갈 수 있었다. 그와 동시에 작가님 스스로도 많지는 않지만 부수입으로는 꽤 짭짤하다 싶을 정도의 인세를 받아가셨을 거다. 그럼에도 작가님의 원고가 도착하자 사장이 언짢아했던 건 그 작가님의 독특한 습관 내지는 고집 때문이다.

작가님은 그 어떤 일이 있어도 원고지와 만년필로 글을 쓰신다. 우리 쪽에서 여러 차례나 전산화해서 보내 달라고 요청했음에도 좀처럼 변하지 않으신다. 작가님이 등단하실 시기에는 그게 자연스러운 일이었을지 몰라도 이제는 일반적인 모습이라고 보기 어려울 텐데 말이다. 길지 못한 세월만에 세상이 많이 변한 탓이겠지. 이제는 이 자그마한 화면을 누구나 하나씩 들고 다니며 그걸로 모든 걸 다 처리하는 세상이니까. 당연한 말이겠지만 작가님 그 단 한 사람만은 빼고.

그뿐이랴. 남들은 조금이라도 가까워지고자 목을 매는 도심지의 번화가에서 벗어나 어느 산비탈 아래서 외따로 집을 짓고 사신다. 자동차는 있었던가. 있었던 것 같기는 한데……존재감이 없었던 그분의 자동차였기에 미간을 찌푸려가며 노력해봐도 좀처럼 떠오르지 않았다. 이렇듯 실로 독특한, 어쩌면 조금은 이상하다고 표현하는 게 더 적절할지 모를 사람인 건 분명하다.

일이 그렇게 되다 보니 누군가는 그 원고를 처리해야만 했고, 예전부터 작가님의 원고를 담당했던 내가 자연스레 그 일을 떠맡게 되었다. 문제는 아까도 언급했듯이 그걸 타이핑하고 편집점을 찾아내는 데 적지 않은 시간이 들어간다는 데 있다. 다른 일들을 제쳐두더라도 며칠을 꼬박 붙들고 있어야 했으니까. 때문에 작가님의 원고를 수습하는 데 집중하느라 하지 못한 나머지 일들은 한없이 뒤로 밀리거나 다른 편집자에게 이관되는 경우가 부지기수였다. 사장뿐만 아니라 우리 출판사의 모두가 그 원고를 좋게 볼래야 볼 수가 없던 것이다.

Ctrl + S

드디어 마지막 원고까지 마무리. 간단하게 출간계획서를 작성해 전자 결재를 올린 뒤, 전화기의 다이얼을 누른다. '010'으로 시작하는 번호가 아닌 '지역 번호'로 시작하는 그 번호를 말이다. 연결음이 세 번 정도 울렸을 때 수화기를 드는 소리가 들리더니 이내 나지막한 쇳소리가 들려왔다.

"여보세요."

쇳소리, 그러나 그리 불쾌하지 않은, 그리고 느리지만 푸근한 말투다.

"안녕하세요, 작가님. 담당 편집자입니다. 그동안 잘 지내셨어요?"

나는 먼저 간단한 인사말을 건네며 대화를 시작했다.

"아, 담당자 선생님이신가보오."

"네, 원고는 잘 받았습니다. 작품집 출간과 관련해서 말씀을 좀 나누고자 하는데 괜찮으실까요?"

"예, 언제든지요. 오히려 이리 연락을 주시고 이런 늙은이를 찾아준다고 하니 감사하지요."

"그만큼 작가님의 작품이 좋으니까요."

그러면서 나는 방문 시각을 말씀드린 뒤,

"그럼 그때 찾아뵙겠습니다."

로 통화를 마무리했다. 미팅은 삼 일 뒤, 시각은 부담 없이 마주앉아 대화를 나누기에 부족함이 없는 14시로 정했다.

당일.

사무실로 출근한 나는 컴퓨터를 켜 편집점과 마케팅 포인트를 체크해둔 부분에 있어 누락되거나 수정이 필요한 부분은 없는지, 원고 전체적으로 오탈자는 없는지를 최종적으로 검토한 후 두 부씩 인쇄했다. 마지막으로 나는 그것들을 서류 봉투에 챙겨놓고는 작가님께 확인 전화를 드렸다. 다행히 일정 변동은 없다. 이제 그동안 밀린 잡무들을 처리하며 예정된 시간이 되길 기다리는 것뿐이다.

"다녀오겠습니다."

점심 식사 후 사무실로 올라온 나는 계약서며 원고, 출간 계획서가 든 서류 가방을 챙겨 사장에게 간단하게 인사를 하고는 차에 올랐다. 우리 사무실은 상대적으로 임대료가 저렴한 외곽지역에 있음에도 불구하고 도회지를 빠져나가는 데만 해도 꽤 많은 시간이 걸렸다. 당최 이 조막만 한 땅덩이에 무슨 사람이 그리 많은지. 자칫하다가는 시간을 지키지 못할 수도 있을 것 같다.

다행스러운 일은 변두리로 향하는 국도에 들어서서부터는 단 한 대의 차도 보이지 않는다는 것이다. 오른발에 조금씩 힘을 주었다. 이 도로를 탈 때면 항상 그 흔한 단속카메라나 CCTV 따위도 찾아볼 수 없다는 사실에

'정말 이용하는 사람이 없긴 없나 보구나.'

하고 새삼 놀라운 기분이 들었다.

내비게이션은 이제야 붉은 빛을 토하며 속도를 줄이라는 경고를 해준다. 이윽고 조그마한 사거리와 신호등이 보인다.

그 주변으로 낡은 점방 하나와 민가로 보이는 건물 몇 채가 보인다. 작다란 가포장 도로를 통해 민가의 입구로, 복판으로, 끝으로 가다 보면 산으로 들어가는 비탈길이, 그리고 고개를 들어 산 중턱을 보면 나무들 사이로 삐져나온 주택 한 채가 보인다. 바로 그곳이 작가님이 사시는 곳이다.

조금 빠듯하긴 하지만 시간을 맞추긴 했다. 가슴 높이 남짓해 보이는 담장 앞에 주차를 하고서 뒷좌석에 던져둔 서류 가방을 챙겨 단조대문 앞으로 향했다. 대문의 오른쪽 기둥에는 적당한 크기의 목조 문패에 작가님의 이름이 정갈한 서체로 새겨져 있었다. 나는 그 아래 있는 초인종을 짧게 눌렀다. 이윽고 인터폰이 켜지자

"오늘 찾아뵙기로 한 담당자입니다."

하고 먼저 말을 꺼냈다.

"문은 열려 있으니 들어오세요."

하는 작가님의 목소리가 들린다. 이에 나는 슬그머니 대문을 열고 들어갔다. 깔끔하게 다듬어진 정원과 그 한켠에 자리를 잡고 있는 검정색 자동차 한 대가 눈에 들어왔다. 아마도 2000년대 초반 출시되었던 것으로 기억하는 그랜저였다.

'역시 차가 있긴 있으셨구나.'

하는 생각을 하며 현관문을 열고 집 안으로 들어갔다. 작가님은 나를 맞이하기 위해 2층 계단을 느린 걸음으로 내려오고 계셨다. 늘 그러셨듯 말끔한 정장 차림으로 말이다.

"아이고, 미안합니다. 나이가 드니 계단을 내려가는 게 더디네요. 이해 좀 해주세요."

하며 나를 맞아주셨다. 나는 괜찮다고 하며 마당에 주차된 차 얘기를 꺼냈다. 아이스 브레이킹은 필요한 법이니까.

작가님은 오래전 중고로 장만한 차라는 말씀과 함께 20만이 훌쩍 넘은 자동차지만 여전히 문제없이 잘 나간다고 말씀해주셨다. 나는 작가님의 이미지에 잘 맞는 멋진 차라고 말씀드렸다. 작가님께서는 인자하게 웃으신 뒤 세월의 흔적이 보이는 거실의 테이블로 나를 안내해주셨다. 그러고는 전축에 바늘을 올리신 후 전병과 차를 내오셨다. 그사이 나는 준비해온 서류를 꺼내 이야기를 시작할 준비를 마쳤다.

"글은 잘 보셨습니까."

계약서를 건네드리자 작가님께서 내게 물으셨다.

"네. 작가님 글은 언제 읽어도 참 좋습니다. 담백하면서도 가슴이 따뜻해지죠. 요즘 글에서는 찾아볼 수 없는 무언가가 있달까요. 그렇기에 저도, 독자들도 작가님의 작품을 기다리게 되는 것 같습니다."

나는 일말의 가감 없이 진솔한 감상평을 남겼다. 이에 작가님께서는 소탈하게 웃으시며

"참으로 다행입니다."

하고 말씀하시고는 자켓 안주머니에서 돋보기 안경과 만년필을 꺼내 계약서를 훑으셨다.

"아, 인세 비율이나 판권은 이전 계약과 동일하게 준비했습니다. 읽어보시고 바꾸었으면 하는 부분은 말씀해주세요. 최대한 반영해드리겠습니다."

"이 정도면 충분합니다. 제 글이 뭐 그리 대단한 글이라고. 책이 나오고 많은 분들이 읽어주시는 것만으로도 감사한데, 소소한 용돈 벌이까지 되니 더할 나위가 없지요."

작가님께서는 계약서 가장 마지막 부분에 서명을 하시고는 편집 계획이 표시된 본인의 원고를 훑어보셨다. 원고를 넘기시는 작가님에게서 옅은 침음이 조금 새어 나왔다.

"무슨 문제라도……?"

"이번에도 글의 가장 마지막 부분에 점이 찍혀 있군요. 이것들은 모두 지워줬으면 합니다."

그러고 보니 타이핑을 하는 과정에서 습관적으로 마침표를 찍었던 것 같다. 작가님께서 늘 요청하시던 부분이었긴 하지만 어떻게 보면 굉장히 사소한 부분이었기에.

"아, 이런. 그 부분을 제가 또 놓쳤네요. 작품별로 가장 마지막 부분에 찍힌 마침표만 다 지워드리면 되죠?"

내 말에 작가님은 고개를 끄덕이시며 입을 여셨다.

"별거 아닌 부분일 수 있겠지만 그 부분만큼은 꼭 지켜주셨으면 합니다. 이 늙은이에게도 꼭 지키고픈 것 하나쯤은 있는 법이니까요."

작가님께서는 꽤 진중한―평소에도 상당히 점잖고 진중하신 말투로 이야기하시나 그때보다 훨씬 더 무게가 실린 목소리로 말씀하셨다.

"예, 그 부분은 지금까지도 작가님께서 요청하신 대로 출판을 해내 왔으니 이번 작품도 그렇게 내겠습니다만……그렇게 하시는 특별한 이유가 있으신가요?"

"인생이라는 게 어찌 될지 모르는 것 아니겠습니까. 실로 제 인생만 봐도 제가 이렇게 살고 있을 줄은 누가 알았을까요. 그래서 그렇습니다. 한 편의 소설은 또 하나의 인생이니 함부로 마지막 점을 찍을 수가 없기 때문이지요. 그렇게 되면 그 이야기는, 인생은 완전히 끝나버리게 되니까요. 사실 이야기라는 게 그저 단 한 사람만의 결정으로 끝날 수 있는 가벼운 게 아닙니다. 그렇기에 이야기를 끝내는 건 작가가 할 일이라고 볼 수는 없지요. 그건 본래 독자의 몫입니다.

그래서 저는 그 몫을 본래의 주인에게 돌려주려는 것뿐입니다."

작가님의 그 말을 들은 나는 쉽게 입을 열 수가 없었다. 십 년은 족히 넘는 세월 동안 함께 일을 해왔음에도 작가님의 그런 속뜻을 모른 채 그저 사소한 것으로 치부해버렸다는 부끄러움 때문이었다. 더욱이 나는 아직 작가님께 드려야 할 말씀이 한 가지 더 남아 있지 않은가. 가볍게 입이 열리지 못한 건 당연한 일이리라.

"예, 꼭 신경쓰겠습니다."

짧은 대답, 그러나 많은 속뜻이 감춰져 있는 대답을 드렸다. 작가님께서도 그 뜻들을 전해 받으셨는지, 온화한 미소를 띤 채로 천천히 눈을 감으며 고개를 끄덕여 주셨다.

이제 내게는 마지막 임무만이 남아 있다. 지금 분위기에서 드려도 되는 말일지는 모르겠으나 그 끄덕임으로 말미암아 이번 미팅이 완전히 끝나버리기 전에 꼭 해내야만 한다. 출판사와 작가의 견해 차이를 좁혀주는 것도 담당자의 역할이니까. 그래서 나는 끝맺음 속에 또 하나의 끝맺음을 욱여넣기로 했다.

"작가님, 저희도 한 가지 부탁드릴 게 있습니다."

"그래요. 말씀해보세요."

"작가님께서 집필해주신 원고는 정말 좋습니다. 이건 진심입니다. 때문에 저희 측에서도 작가님의 원고를 계속 받아가고 싶습니다. 다만 서면으로 원고를 보내주실 경우, 저희가 그걸 처리하는 데 어려움이 있습니다. 이전부터 말씀드려온 바 원고를 전산화해서 보내주셨으면 합니다."

역시 작가님께서는 언짢으신 듯 미간을 살짝 찌푸리셨다. 그러고는 잠시간의 공백이 생기려는 찰나에 입을 여셨다.

"책을 만드시는 분들이 종이를 가지고 일을 하시는 게 많이 어려우셨나 봅니다. 불과 몇 년 전까지만 해도 다 그렇게 일을 했었는데 말이죠"

역시나 그 입에서 나온 말에는 뼈가 있는 듯했다.

"그렇긴 하지만 이미 세상은 많이 바뀌었습니다. 일을 처리하는 방식도 함께 변했고요. 저희도 그런 변화에 발맞춰가면 조금 더 수월하게 일을 처리할 수 있을 겁니다. 혹 컴퓨터나 인터넷을 설치하는 것 때문에 그러시는 거면……"

작가님께서는 조금 씁쓸한 웃음을 지으셨다.

"아까의 대화로 제 뜻을 아실 줄 알았는데 그게 아닌 듯하여 조금은 안타깝습니다."

작가님께서는 밭은기침을 하신 뒤 말씀을 이으셨다.

"담당자 선생께서는 저희집에 오실 때마다 제게 이렇게

문명과 떨어져 지내는 삶이 불편하지는 않는지 여쭙습니다. 이런 저를 이상하게 생각하시는 것일 테지요."

그런 작가님의 말씀에 조금 민망한 기분이 들었다.

"문명에 파묻혀 살아가는 사람들의 눈에는 충분히 그렇게 보일 수 있으리라 생각됩니다. 분명 우리집에도 문명을 들인다면 내 삶이 더 편해질 수도 있을 테니까요. 허나 우리는 글을 쓰고 책을 만드는 사람들이지 않습니까. 문명보다는 낭만이나 감성에 묻혀 살아야 하는 사람들이지요."

나는 작가님의 그런 말씀을 들으며 말없이 고개를 끄덕일 뿐이었다.

"그리고 낭만이나 감성은 조금은 오래되거나 불편한 것들로부터 나오는 법이니, 제게는 책을 만드신다는 담당자 선생님께서 그런 말씀을 하신다는 게 오히려 이상하게 보이네요."

작가님께서는 그렇게 말씀하시고는 한 번 더 소탈하게 웃으셨다. 꼭 맞는 말씀이다. 내가 더 이상 무엇을 입 밖에 낼 수 있으랴. 그저 지극히 사무적인

"작가님의 말씀에 공감합니다. 허나 저희는 회사이고 다른 처리해야 할 일들이 많은 것도 사실입니다. 작가님의 그런 말씀과 생각 모두 진심으로 존경하고는 있으나 일개 직원인

저로서는 회사의 지침에 따를 수밖에 없다는 걸 헤아려주시면 감사하겠습니다."

라는 말만을 드릴 수밖에.

이 말을 들은 작가님께서는 잠시간의 침묵 뒤에

"그래요. 각자의 사정이라는 게 있는 법이고 구성원으로서 회사의 규율을 따르는 게 잘못된 것은 아니니. 내 다음 원고부터는 그리 준비해보겠습니다."

청명한 빛으로부터 오는 온기가 느껴지는 듯한 말이었다. 지금까지 지켜왔던 것들을 바꾸기란 ─ 특히 그 나이대의 사람들에게는 더욱 쉽지 않은 일이라는 걸 알았기에 더더욱 그렇게 느껴졌다.

"감사합니다. 그럼 조만간 수정고를 가지고 찾아뵙겠습니다."

그 말을 끝으로 나는 작가님께 깍듯하게 인사를 드린 뒤 그 집을 나왔다.

출판에 필요한 나머지 단계들은 별다른 문제 없이 순조롭게 진행되었으며 얼마 지나지 않아 출판되어 준수한 매출을 내주었다. 그렇게 모든 것들이 순조롭게 정리되는 듯했다. 그로부터 몇 년 뒤 두꺼운 서류 봉투 하나가 사무실 현관 앞에 놓여 있기 전까지는 말이다.

아침부터 사무실이 시끄러웠다. 출근을 하니 사장이 프런트 앞에서 시뻘건 얼굴로 언성을 높이고 있던 것이다.

"젠장, 또 그 영감쟁이야, 또"

그러면서 영문을 몰라 슬그머니 자리로 들어가고 있던 나를 가리키며 쏘아붙였다.

"야, 너, 일 제대로 한 거 맞아?"

그제서야 사장의 손에 들려 있는 봉투가 눈에 들어왔다. 이런, 또 그 작가님인가 보군.

"내가 그때 확실하게 전하라고 했지 않나. 그런데 왜 또 이런 일이 생긴 거야."

"아무래도 연세가 있으신 분이시니 컴퓨터를 다루는 게 쉽지 않으셨을 겁니다."

나는 사장을 다독이듯 이야기했다.

"그놈의 연세, 연세. 그렇게 늙었으면 적당히 하고 빠질 줄 알아야지. 언제까지 우리보고 자기 뒤치다꺼리나 하라는 거야."

"그래도 그 작가님 작품은 내기만 하면 어느 정도 매출이 나오는 편이잖아요. 귀찮더라도 제가 작업하겠습니다."

"그럼 네 일은. 자네가 앞에 떨어져 있는 일은? 또 다른 사람들 고생시키려고?"

사장의 화는 쉽게 누그러들지 못했다. 오히려 시간이 갈수록 그의 목에는 핏대가 섰고 태도는 더욱 단호해졌다. 그 작가님 책의 매출이 우리 출판사의 전체 매출에서 높은 비중을 차지하는 건 맞지만 그렇다고 우리가 그렇게 목매면서까지 그의 원고를 처리해줄 정도는 아니라는 게 사장의 논리였다. 뭐, 실제로도 그걸 처리하고 있을 시간에 다른 업무를 처리하는 게 매출에 더 도움이 되는 건 사실이었다.

"하지만 사장님, 그 작가님 덕분에 저희 출판사도 많이 성장할 수 있었던 건 사실이잖아요. 그걸 봐서라도 넘어가 주시는 건 어떨까요."

다시 한 번 더 내가 사장을 다독이며 얘기를 해봤으나 소용없었다.

"전관에 대한 예우는 이미 충분히 해줬어. 더 이상 뭘 더 해주겠는가. 이거 당장 반송시켜."

사장은 손에 들고 있던 서류 봉투를 현관 밖으로 집어던지며 말했다. 예상했던 반응 그 이상으로 열을 내는 사장의 모습에 사무실에 있던 모든 직원들이 적잖아 당황한 듯했다. 나는 짧게 한숨을 뱉은 뒤 팽개쳐진 작가님의 원고로 다가가 허리를 숙여 그를 집어 들었다.

"알겠습니다, 사장님. 다만 이건 제가 직접 돌려드리고 와도 될까요."

"난 모르겠으니 자네 마음대로 하게."

사장은 자리로 돌아가며 뒤도 돌아보지 않은 채 퉁명하게 쏘아붙였다.

"예, 그럼 지금 다녀오겠습니다."

나는 그렇게 말한 뒤 다시 계단을 내려가 작가님의 댁으로 향했다. 댁의 초인종을 누르자 작가님께서는 내가 찾아올 걸 어느 정도 예상하셨다는 듯 문을 열어주셨다. 늘 같은 미소로 나를 맞아주시면서 말이다.

"손에 그게 들려 있는 걸 보니 그리 좋은 이유로 찾아온 건 아닌가 봅니다."

오히려 아무렇지 않게 말씀하시는 작가님을 보니 괜히 내 마음이 더 좋지 못해졌다.

"예, 유감스럽게도 지난번에 말씀드렸던 것처럼 전산화를 해서 원고를 보내주지 않으신다면 원고를 받지 않겠다고 합니다."

"그러게요. 참 안타까운 일입니다. 글을 만지고 책을 쓴다는 사람들이 편하게만 일하려고 하니."

작가님께서는 그때처럼 거실의 테이블에 나를 앉힌 뒤, 차와 전병을 내주시며 말씀하셨다. 그런 다음 내 반응을 잠깐

살피시더니

"담당자 선생님께서는 어찌 생각하시나요."

하고 물으셨다. 갑작스러운 질문에 잠시 버벅이다가

"아, 물론 저도 그런 세태에 대해서는 안타깝게 생각합니다. 하지만 시대가 시대인 만큼 조금은 타협하고 따라가 보는 것도 괜찮지 않겠습니까."

하고 대답했다.

"그것도 틀린 말씀은 아니지요. 그래서 저도 그때 그렇게 말씀드렸던 겁니다. 허나 그게 쉬운 일은 아니더군요. 인터넷이니 컴퓨터니 하는 것들 때문이 아니라 다른 것들 때문에요."

난 그 말 속에 담긴 어떤 속뜻을 찾아내기 위해 한참이나 끙끙거리고 있었다. 그러는 사이 작가님께서는 내게 또 다른 질문을 던지셨다.

"선생님께서는 글을 대하실 때 어떤 느낌이 드십니까. 편하십니까?"

"예, 뭐, 오랫동안 편집자 일을 해왔으니까요. 특별히 불편하다거나 그런 건 없습니다."

"그러십니까. 대단하시네요. 저는 글을 대하는 게 여전히 참 어렵고 불편하더이다. 글이 선생님께 있어 어떤 의미를 가질런지는 모르겠지만 제게는 돈벌이 수단을 넘어 조금 다른 의미를 가지고 있거든요."

공기가 한층 더 가라앉았다. 저 인자한 표정, 온화한 말투 속에 드러나지 않는 무언가가 있음이 분명했다. 그렇기에 나는 잠자코 작가님께서 하시는 말씀에 귀를 기울였다.

"옛날 일입니다. 그때의 저는 아주 건실한 사업을 하며 남부럴 것 없이 살고 있었습니다. 번화가 한복판에 있는 거대한 아파트에 살며 수입 자동차까지 끌고 다녔지요. 거기에 그 무엇과도 바꿀 수 없는 처자식들까지……. IMF가 터지면서 그 모든 게 일장춘몽이 되어버렸지만 말입니다."

"힘드셨겠습니다."

"그렇죠. 힘들었죠. 그냥 죽어버릴까 하는 생각도 여러 번 했었답니다. 보기와는 달리 겁이 많은지라 직접 행동으로 옮기지는 못했지만요."

작가님께서는 내 표정을 살피시고 실없는 웃음을 크게 한 번 터뜨린 뒤,

"늙은이 주책 때문에 괜히 분위기만 이상해져 버렸네요. 너무 마음 쓰지 마세요. 다 지난 일이니."

하고 말씀하셨다.

사실 내게는 어떤 슬픔이라든가 연민 같은 감정보다는 의

아함이 더 크게 다가왔다. 번화가에서는 조금 동떨어진 곳이라 하더라도 복층의 넓은 전원주택, 잘 가꾸어진 정원, 오래되기는 했지만 만듦새가 좋은 앤틱한 가재들까지. 지금까지 내가 봐온 작가님의 삶을 보면 과거에 그런 어려움이 있었으리라고는 생각할 수 없었기 때문이다.

"아, 아닙니다. 그냥 좀 의외여서요. 작가님께 그런 과거가 있었다는 게요."

"그래요. 이 얘기를 하면 다들 그런 반응이에요. 하지만 그걸 딛고 여기까지 오기란 쉬운 일이 아니었다는 것만은 알아주셨으면 하네요."

"그러셨을 것 같습니다. 그런 어려움을 어떻게 이겨내셨는지……."

"담당자 선생님께서 여쭈신 건 내적인 건가요, 아니면 외적인 건가요."

작가님의 질문에 어떤 답을 내놓아야 할지 몰라 눈만 껌뻑거리는 내게, 작가님께서는 짧게 숨을 고르신 후 입을 여셨다.

"별 거 있었겠습니까. 그저 했지요. 가장 밑바닥서부터 다시 시작하는 것 말이에요. 30대 중후반에 접어든, 그것도 사장님 소리를 들으며 떵떵거리고 다녔던 나를 신입으로 받아줄 회사는 없었으니까요. 공사판부터 공장 생산직, 심지어 식당 설거지까지. 해보지 않은 일이 없었습니다, 그려. 그래요, 나는 그렇게 다시 올라온 겁니다."

"정말 대단하시네요."

상투적인 반응으로 보였을지는 몰라도 나는 진심으로 그렇게 생각했다. 한 회사의 사장씩이나 되던 사람이 그런 일부터 다시 시작하겠다는 결심을 하기란 쉬운 일이 아니었을 테니까. 차라리 죽는 게 더 쉬웠을지도 모를 일이다.

"그런데 그건 그저 표면적인 모습에 불과합니다. 내가 다시 올라올 수 있었던 이유는 따로 있었죠. 그게 뭔지 아십니까?"

"잘 모르겠습니다."

"그게 바로 글이었습니다. 정말 힘들어서 죽고 싶을 때, 나는 죽으러 가기보다는 글을 써보기로 했었습니다. 처음에는 글이라고 부르기도 우스울 정도였지만 그게 쌓이니 스스로에게 위로가 좀 되던 게 아닙니까. 그 덕에 더욱 힘을 내 나를 일으켜 세울 수 있었지요."

나는 나도 모르게 입이 벌어진 채 고개를 가볍게 끄덕이고 있었다.

"안정을 되찾고부터는 아예 글쓰기에 전념해보기도 했습니다. 운이 좋았던 건지 선생님들을 만나 등단도 하고, 지금은 섭섭지 않게 인세도 받고 있으니 글이 제게 있어 특별한 무언가가 아니라면 대체 뭐가 제게로 와 특별한 게 될 수 있겠습니까."

작가님의 말씀이 끝나자 나는 신중하게 말을 고르며 입을 열었다.

"네, 그런 속사정까지는 몰랐지만 작가님의 작품을 보며 글에 대한 작가님의 마음이 진심이었다는 건 이미 알고 있었습니다. 그러나 이렇게 작가님의 이야기를 들으니 그간 봐왔던 작가님의 작품들이 다시 새롭게 느껴집니다."

"그리 봐주시니 감사할 따름입니다."

작가님께서는 그렇게 말씀하시고 잠시 목을 가다듬으신 뒤, 또 한 번 입을 여셨다.

"그렇기에 내가 감히 편하게 글을 쓸 수가 없었던 겁니다. 가족들마저도 나를 버려야 할 때, 진심으로 나를 품어주었던 벗을, 도회지에서 받았던 그 상처들을 섬세하게 치유해주었던 내 은인을 마냥 편하게, 그렇게 함부로 대할 수가 없었던 겁니다."

역시 이번에도 작가님의 말씀은 나의 정가운데를 관통했다.

"선생님께서 이상하게 여기시는 이 집, 집안에 혼자 있을 때도 항상 정장을 차려입는 제 옷차림, 그 모든 게 내 생명의 은인이자 유일한 벗인 글을 대할 때의 도리를 갖추기 위한 것들입니다. 세간의 사람들에게는 이상하게 보일지 몰라도 제게 있어서는 그렇게 해야 마땅한 것 같이 느껴졌거든요."

작가님의 그 말씀을 끝으로 잠시간의 침묵이 흘렀다. '잠시'라는 짧은 시간 동안만이었지만 우리 대화의 막을 내릴 정도로 무겁고 깊은 침묵이었다. 그 침묵을 깬 것은 역시나 작가님이셨다.

"바쁘신 분을 앉혀다 놓고 늙은이가 괜한 주책을 부린 것 같습니다. 너무 마음에 두지 마시고 얼른 일어나 보세요."

씁쓸한 미소를 지어 보이시며 내게 말을 건네시는 작가님을 보자 나는 앉아 있지도, 일어나지도 못하는 처지가 되어 버렸다. 작가님이 하신 말씀의 파편이 아직 내 안을 온통 휘젓고 있기 때문이리라.

"그 원고는 돌려주러 오신 거 아닙니까. 제 이야기 때문에 그러시는 거라면 괜찮습니다. 놓고 가셔도 좋습니다. 선생님들께는 이미 많은 은혜를 입었으니 또다시 폐를 끼쳐드릴 수는 없는 노릇이지요."

나는 손에 들려 있던 서류 봉투를 테이블 위에 말없이 올려두었다. 그분의 마음을 알지도 못한 채, 그분이 가지고 있던 마지막 버팀목마저 완전히 꺾어버리려 한 내가 할 수 있는 건 남아 있지 않았으니까.

"그동안 감사했습니다. 그리고 정말 죄송합니다."

하는 말만을 남기고 그 집에서 나와 차를 몰았다. 조금 불편할지언정 감성과 낭만을 품고 있는 단독 주택, 그것도 잘 가꾸어진 정원이 딸린 이 층짜리 목조주택을 뒤로하고 시멘트와 콘크리트로 범벅된 회색의 사무실로.

그 뒤로는 집배원이 두꺼운 서류봉투를 들고 사무실을 찾는 일은 없었다. 그저 플라스틱끼리 마찰되는 건조한 소리들만이 무거운 공기와 함께 사무실을 가득 메울 뿐이다. 나에게는 그럴 자격이 없다는 걸 알면서도 다시 한번 작가님을 뵙고 싶어 그 집을 찾아갔으나 역시 내게는 허락되지 않았다. 작가님께서 문을 열어주지 않았다는 말이 아니라 그 집이 비어 있었기 때문에. 자격이 없는 내겐 만회할 기회조차 주어지지 않았던 거다.

항간에 들리는 소문에 의하면 그 이후로 작가님은 다른 출판사에도 여러 차례 원고를 보내봤으나 우리 출판사와 같은 이유로 거절을 당한 뒤 자취를 감추셨다고 한다. 그렇게 그

분은 마지막까지도 자신의 신념을 지키셨다. 마지막 점을
찍지 않음으로써. 우리의 인연에도, 당신 스스로의 삶에도

도 시 를   나 가 면 서

작 품   후 기

꽃샘추위 속에서 떨고 있는 회색의 봄

그 낮고 여린 줄기 위에 겨우 피어난 두 장의 새잎은 아마도 그랬을 것이다. 대략 16년, 어쩌면 그보다도 조금 더 짧거나 길 수도 있는 시간 동안 작게나마 움을 틔우고자 각자의 방법으로 갖은 노력을 해왔을 것이다. 그리고 마침내 뜨거운 인고의 시간 끝에 딱딱한 씨앗의 껍질을 깨고 나온 유근[1])과 유아[2])를 세상 밖으로 밀어올렸을 것이다.

이 작은 녀석과 함께 긴 시간을 보내며 물과 볕을 주던 사람들도 앙증맞은 그 모습을 보며 환희에 찬 미소를 보낸다. 어쩌면 감동의 눈물을 흘리는 이들도 더러 있으리라. 그러나 그 환호와 박수갈채는 인고의 시간을 견뎌낸 작은 녀

---

1) 종자식물의 배에 만들어진 뿌리. 싹이 튼 후 자라서 뿌리가 된다
2) 종자의 배의 일부분으로, 발아하여 줄기나 잎이 되는 부분

석에 대한 축하와 격려일 뿐일까. 그런 의미가 아주 없다고는 할 수 없겠지만 결국 그들이 원하는 건 단 한 가지, '열매'가 아니던가.

그러나 이 작기만 한 것은 이제 막 세상으로 나온 여린 이파리일 뿐이다. 적당한 비바람과 충분한 햇살을 받아가며 열매를 맺기 위해 본인을 다져나가는 것이 먼저인 존재 말이다. 하지만 열매에 대한 알량한 기대감으로 한껏 증폭된 사람들의 박수 소리는 좀처럼 사그라들 줄 모른다. 방금 막 돋아난 새싹에게 그리 달가운 일은 아닐 것이다. 되려 그 작은 것을 다시 얼어붙게 하는 꽃샘추위가 되지 않을까 염려되기까지 한다. 과연 그 속에서 얼어붙지 않고 살아남을 존재가 얼마나 될까.

그래, 이건 바로 우리들의 이야기, 그리고 우리들이 살아가는 세상의 이야기다. 이제 막 사회로 나온 초년생들에게는 그다지 친절하거나 아름답지 못한 그런 세계에 대한 이야기 말이다.

이제 막 돋아난 새싹에게 사람들이 그랬듯 우리 사회 또한 부푼 꿈을 안고 사회로 발을 내디딘 초년생들에게 큰 성원과 박수를 보낸다. '청춘'이라는 싱그러운 말로 추켜세우기도 한다. 그러면서도 그들은 빠듯하게 굴러가는 사회 속에서 마땅히 한몫 해내기를 요구한다. 그리고 이내 실망한다.

"처음부터 다 잘할 수는 없는 거야."

라든가,

"못하는 게 당연하지. 천천히 배워나가면 돼."

라는 그들의 말이 위선이었음을 증명하고 싶어 안달이라도 난 것처럼 서로 앞다투어 실망감을 표출하고 그들을 일갈한다. 그들이 본인의 입으로 앞서 뱉어냈던 말마따나 아무것도 모르는 초년생들이기에 미숙한 게 당연함에도 말이다. 그야말로 기다려주지 못하는 세상이다. 어디 기다림 뿐이랴. 적절한 가르침도, 배움의 시간도, 배려나 인정도 잘 주지 않는다.

그러면서도 그들은 더 이상 버티지 못하는, 혹은 힘들어하는 초년생들을 보며 '약하다'고 매도하기까지 한다. 그렇게 싱그러웠던 청춘들은 순식간에 회색빛으로 얼어붙는다. 이런 모습을 보면 사회로 '내던져졌다'는 표현이 괜히 나온 게 아니구나 싶기도 하다. 그만큼 첫발을 내디딘 초년생들에게는 실로 불친절하면서도 차가운 세상이니까.

나 또한 사회에 첫발을 내디뎠을 땐—물론 지금이라고 해서 느끼지 않는다는 건 아니지만 사회란 정말 만만치 않은 곳이었음을, 그 쓰라림을 뼛속 깊이, 마디마디 느꼈었다.

평소에도 센스가 뛰어난 인재는 아니었던지라 빠르게 개선되지 못하는 미숙함에 하루가 멀다 하고 욕을 먹는 한편 매달 빠듯함과 적자를 오가는 생활비, 그 와중에서도 목을 점점 조이는 대출금까지. 버텨내야 할 게 너무나도 많았던 탓이다. 한번은

'왜 이렇게 힘든 세상을 미련스럽게 꾸역꾸역 살아내야만 하는 걸까.'

하며 눈물짓기도, 나보다 앞서 간 선배들, 내 동기들, 그리고 내 뒤를 쫓아오는 후배들의 그런 모습을 보며,

'나만 그런 건 아니구나, 다들 그렇게 살아가는 거구나.'

하는 위안을 얻어보려 하기도 했었다. 그것만으로는 위안을 얻을 수도, 위안을 줄 수도 없었지만 말이다.

물론 이 정도는 버텨낼 수 있어야 한다는 그들의 말을 잔소리 정도로 치부하며 별다른 노력 없이 게으르기만 해도 유야무야 흘러갈 수 있는 세상이 되었으면 좋겠다는 투정을 하고 싶은 건 아니다. 앞서 이야기했듯 그 정도에 무너진다면 앞으로는 더욱 버텨내기 어려울 곳이 바로 이 세상이니까. 다만 이제 막 사회로 나온 초년생들이 홀로 설 수 있도록 조금은 다정한 세상이 되어주었으면 한다. 적어도 초년생들이 '자신은 세상에 내던져진 존재'라고 생각하는 일만

은 없었으면 좋겠으니까.

그렇다면 그런 세상이 되려면 어떻게 해야 할까. 오랫동안 쌓여온 문제이기에 그 모든 것들이 순식간에 확하고 바뀌어 버릴 수는 없을 것이다. 그렇다면 이야기꾼인 내가 할 수 있는 일은 꾸준히 그 이야기를 풀어나가는 것. 그보다 더 이야기꾼다운 일이 어디 있겠는가. 아마 그 때문에 한동안 내 머릿속에서 『회색도시』에 수록된 이야기들이 두서없이 부유했던 걸지도 모르겠다.

작은 책상과 랩탑, 청명하게 짤깍이는 기계식 키보드. 때로는 노트와 원고지, 그리고 만년필. 더할 나위 없는 든든한 조력자들과 함께 머릿속에서 희미하게 유영하는 이야기의 조각을 끌어모아 연결하고 나를 대신해 그 이야기를 전해줄 일곱 주인공의 입을 빌려온 것이다. 비록 별 볼 일 없는 나의 작은 이야기 몇 편이 미약하게나마 세상을 움직일 수 있기를 바라면서 말이다

P.S.
이름 모를 어느 노작가의 좌절된 신념을 지켜주기 위해 본 원고에서도 마지막 마침표를 생략함

회색도시

ⓒ 김 흔 2024

발　행 | 2024년 01월 05일
저　자 | 김 흔
디자인 | 강유빈
편　집 | 잉크자국 편집부
펴낸이 | 김도현
펴낸곳 | 문화두레 잉크자국
출판사등록 | 2023.12.13.(제2023-000007호)
주　소 | 경상북도 영주시 부석면 소백로 3912
이메일 | inkstains@naver.com

ISBN | 979-11-986070-0-3